Autant en emporte le vent

Dans la même collection

LES GRANDS ACTEURS

Romy Schneider
Marilyn Monroe
Gérard Depardieu
Clint Eastwood
Simone Signoret (décembre 1988)
Steve Mac Queen (décembre 1988)

LES GRANDS GENRES

Le cinéma érotique
Le film de science-fiction (décembre 1988)

LES GRANDS REALISATEURS

Alfred Hitchcock (décembre 1988)

L'auteur remercie
Aline Bertoni, Alain Garel, Guy Gauthier,
Gilles Gressard, Christophe L., Jean-François Millet,
Marie-Chantal Riglet-Dulphy pour leur aide.
Et Françoise Leclerc pour sa collaboration.

Jacques Zimmer

Autant en emporte le vent

Editions J'ai lu

LE FILM LE PLUS CELEBRE DE L'HISTOIRE

Margaret Mitchell écrivit un best-seller parce qu'elle s'était brisé la cheville en tombant de cheval. Les grandes compagnies d'Hollywood refusèrent d'en acheter les droits. Clark Gable avait peur du rôle : on dut le contraindre à l'accepter. Toutes les stars américaines postulèrent pour lui donner la réplique : le producteur finit par choisir une actrice de théâtre quasi inconnue, anglaise de surcroît. Trois réalisateurs se succédèrent : le premier fut renvoyé, le second quitta le plateau.

Le budget primitif fut multiplié par deux et la durée définitive atteignit trois heures quarante-cinq minutes.

Aucun film ne fit couler tant d'encre avant même d'avoir été tourné et ne fut, ensuite, vu par tant de spectateurs.

*L'histoire d'*Autant en emporte le vent *est nourrie d'une extraordinaire accumulation de hasards, de* *coïncidences, de drames et de talents surmontés ou organisés par un homme d'une phénoménale volonté : David O. Selznick.*

Au commencement, il y eut une guerre...

Sommaire

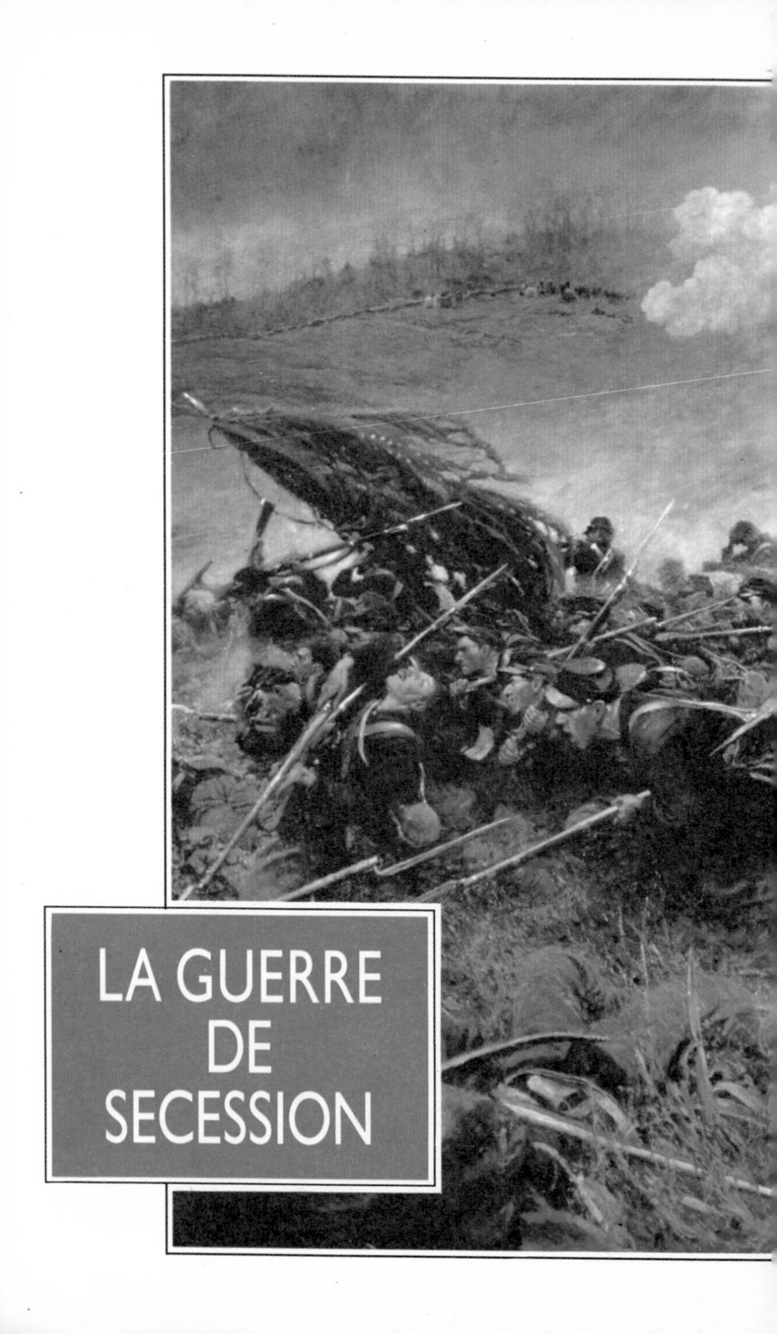

LA GUERRE DE SECESSION

n 1859, Billy the Kid naît à New York et Edwin L. Drake effectue, le 27 août, le premier forage de pétrole en Pennsylvanie. Lincoln est élu en 1860. Malgré la guerre qui s'annonce, le recul de la frontière vers l'ouest se poursuit : l'Union Pacific Railways pose ses rails toujours plus loin. L'Ouest, le vrai, continue d'exister par des faits divers qui deviendront, avec le cinéma, des mythes : c'est en 1861 que le fameux James Butler Hickok réglera son compte au gang Mc Cawles. Billy the Kid, qui a deux ans, suce son pouce, mais la relève des héros est assurée.

En 1862, les Noirs sont affranchis, mais une loi plus importante encore a été votée : celle du Homestead qui attribue cent soixante acres – soixante hectares –, moyennant dix dollars, à tout immigrant blanc qui se fait naturaliser. Ainsi est relancée la politique de conquête des territoires neufs.

Soldats du Nord dans la tourmente de cette terrible guerre.

C'est aussi l'époque où va se dérouler le plus moderne et le plus meurtrier des conflits de la seconde moitié du dix-neuvième siècle. De 1861 à 1865, la guerre de Sécession ravage les États-Unis d'Amérique.

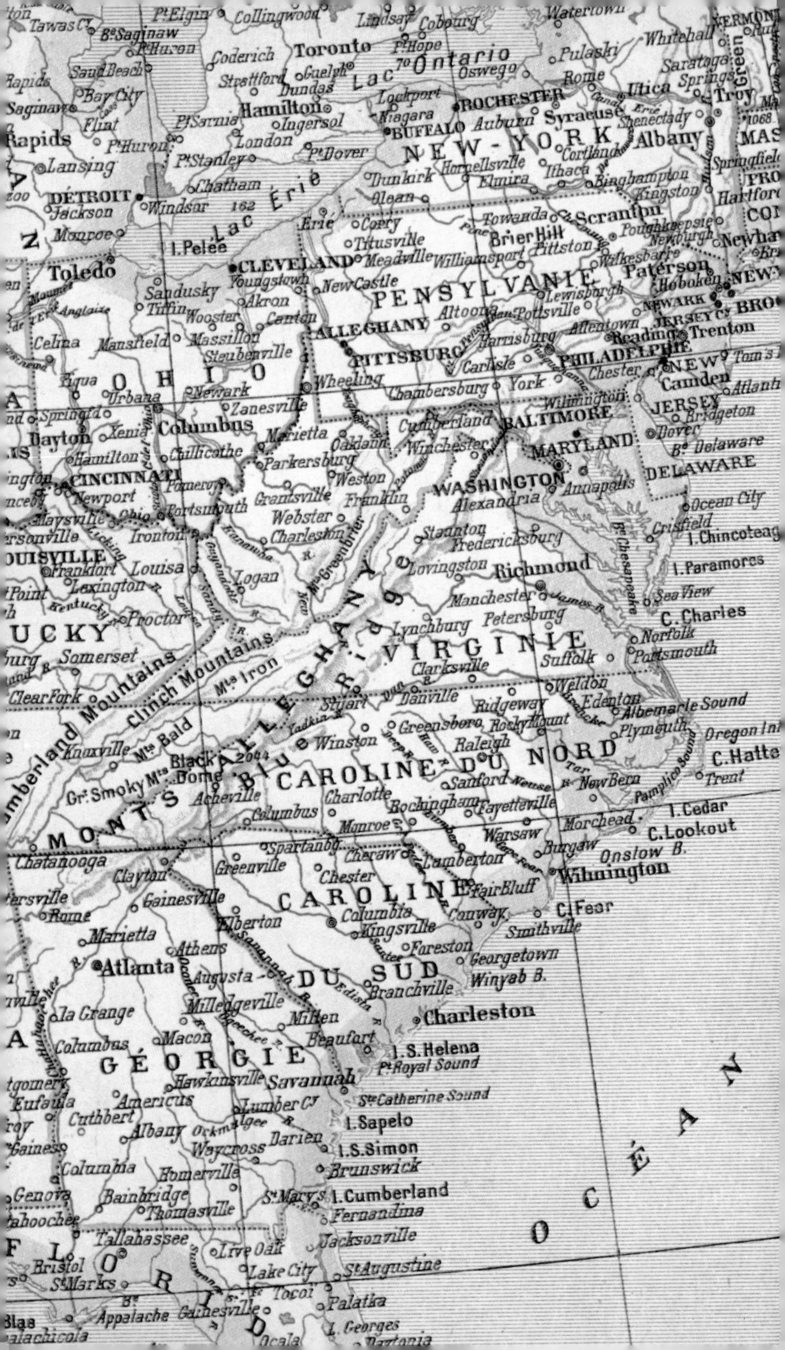

Lac Ontario
Lac Érié
NEW-YORK
PENSYLVANIE
OHIO
VIRGINIE
CAROLINE DU NORD
CAROLINE DU SUD
GÉORGIE
MARYLAND
DELAWARE
NEW JERSEY
MONTS ALLEGHANY
Blue Ridge
Cumberland Mountains
Clinch Mountains
Mts Iron
Mts Bald
Black Dome
Gr. Smoky Mts
OCÉAN
Toronto
Hamilton
Rochester
Buffalo
Syracuse
Utica
Albany
Troy
Détroit
Toledo
Cleveland
Columbus
Cincinnati
Louisville
Alleghany
Pittsburg
Philadelphie
Baltimore
Washington
Richmond
Wilmington
Charleston
Savannah
Atlanta
Paterson
Trenton
Camden
Scranton
Norfolk
Portsmouth
Lynchburg
Petersburg
Raleigh
Columbia
Augusta
Macon
Tallahassee
Jacksonville
St Augustine
Lake City
Fernandina
Brunswick
Darien
Beaufort
Georgetown
Chattanooga
Knoxville
Lexington
Frankfort
Dayton
Zanesville
Wheeling
Harrisburg
Reading
Allentown
Lancaster
York
Carlisle
Chambersburg
Cumberland
Winchester
Alexandria
Annapolis
Fredericksburg
Staunton
Manchester
Greensboro
Charlotte
Fayetteville
Wilmington
C. Fear
C. Lookout
C. Hatteras
C. Charles
Albemarle Sound
Pamplico Sound
Onslow B.
Winyah B.
I. Chincoteague
I. Paramores
I. Cedar
I. S. Helena
I. Sapelo
I. S. Simon
I. Cumberland
Pt Royal Sound
St Catherine Sound
Bie Delaware
Bie Chesapeake

Que je souhaiterais être au pays du coton
Au bon vieux temps qu'on ne peut oublier
Regarde au loin
Le pays de Dixie...
(*Dixie*, chant populaire sudiste.)

Le mot "Dixie" est d'origine française : en Louisiane, les premiers billets de dix dollars portaient le mot "dix". Depuis, il désigne l'hymne national du Dixie Land : le Sud. Sa frontière passe à la hauteur du Maryland. Au nord de cette ligne, les premiers occupants furent les puritains du Mayflower. Les colons de la Virginie sont davantage des aventuriers : le 13 mai 1607, John Smith a abordé avec cent trois compagnons dans la baie de Chesapeake. Leurs descendants cultivent le tabac sous un climat tropical qui incite à la douceur de vivre. Mais cette agriculture exige une main-d'œuvre importante :

La guerre de Sécession au cinéma : les "Bleus" (Nordistes) dans *L'arbre de vie*, Edward Dmytryk, 1957.

l'importation des esclaves règle le problème. Tandis que le Nord s'industrialise, le Sud développe la culture du coton.

Lorsque le parti de Lincoln arrive au pouvoir, il fait immédiatement relever les droits de douane sur les produits manufacturés : les industriels yankees peuvent augmenter leurs prix sans craindre la concurrence. Les États du Sud protestent avec énergie; de toute façon on y déteste Lincoln dont les positions antiesclavagistes sont radicales. Au Nord, les esprits ont été préparés par un roman qui a fait pleurer toutes les margots de l'époque : *La Case de l'oncle Tom.* Neuf États font sécession : la guerre éclate entre Unionistes et Confédérés.

Bien que les forces soient disproportionnées (dix-neuf millions d'habitants, trois millions de soldats pour le Nord,

Une charge à la baïonnette des cadets d'une école militaire du Sud (*Les cavaliers*, John Ford, 1959).

L'arbre de vie.

six millions de Blancs, un million trois cent mille enrôlés pour le Sud), les troupes

Un combat inégal

confédérées résistent bien et enregistrent même quelques succès militaires. Les généraux Lee et Jackson gagnent les deux batailles de Bull Run. Le nombre des États dissidents se monte désormais à onze et le sort de la guerre est incertain.

Apparaît alors un général nordiste qui va devenir un mythe national : Ulysses S. Grant. Sous ses ordres, les soldats bleus écrasent les gris à Gettysburg, le 3 juillet 1863. Après cette abominable boucherie, Lee bat en

Uniformes authentiques du Sud (Virginie, 1864).

Combattants du Nord (*Major Dundee* avec Charlton Heston).

Le terme que le français a retenu pour cette guerre fratricide est "guerre de Sécession", qui traduit la volonté des Etats de la Confédération de se séparer des Etats du Nord. Les Anglo-Saxons ont retenu le terme de "guerre civile" – Civil War – ce qui est une autre approche de cet événement historique.

retraite. Les jeux sont faits : deux ans plus tard, il devra déposer les armes, le 9 avril 1865, à Appomattox. Il y retrouve Grant : les deux généraux ont fait ensemble la guerre du Mexique... Cinq jours plus tard, Abraham Lincoln est assassiné par John W. Booth.

La guerre de Sécession est terminée. Elle aura duré quatre ans et les pertes seront évaluées à deux cent cinquante-huit mille victimes pour le Sud et à trois cent soixante mille pour le Nord. Soit plus de six cent mille morts au total. Pour mémoire, les pertes américaines seront de cent vingt-six mille pendant la Première Guerre mondiale et de quatre cent sept mille pendant la Seconde.

John Wayne en officier de l'Armée Nordiste (*Les Cavaliers*, John Ford, 1959).

Les États du Sud sont déchus de leurs droits et, suprême humiliation, les troupes d'occupation comprennent de nombreux Noirs. Dans le sillage des armées affluent les *Carpetbaggers* qui viennent chercher fortune dans un pays appauvri et dévasté.

Soixante-dix ans plus tard, lorsqu'une jeune femme d'Atlanta commencera à écrire *Autant en emporte le vent*, beaucoup de cicatrices ne seront pas encore refermées.

UNE HISTOIRE
DE FEMME
ECRITE PAR
UNE FEMME

argaret Mitchell – de son vrai nom Peggy Marsh – est une petite femme (un mètre cinquante pour quarante-cinq kilos) plutôt jolie, apparemment douce et réservée. Ce qui ne l'empêche pas de faire preuve, à l'occasion, d'une grande volonté. Fille d'un attorney, née à Atlanta en 1901 dans un milieu fort conservateur, elle n'hésite pas à divorcer au bout de quelques mois d'un premier mariage malheureux. Et à se remarier avec le garçon d'honneur.

*En 1926, elle mène de front une vie familiale paisible et une activité de journaliste à l'*Atlanta Journal. *Lequel appartient à William Randolph Hearst qui servira de modèle au célèbre* Citizen Kane *d'Orson Welles. Mais ceci est une autre histoire.*

Rien donc, à part un certain goût pour l'écriture, ne prédispose la jeune Peggy Marsh à connaître une gloire littéraire universelle donnée par un seul livre. Le destin apparaît sous les traits d'un cheval dont l'histoire n'a pas retenu le nom. Peggy, désarçonnée, se brise la cheville et utilise ses loisirs forcés à écrire Autant en emporte le vent.

> Une petite femme d'apparence douce et réservée écrira le plus grand best-seller de tous les temps : Margaret Mitchell à sa table de travail.

Dans le plus grand secret.

Commencé en 1926, l'ouvrage parut en juin 1936. Il fallut plusieurs années pour réunir une documentation minutieuse augmentée de souvenirs d'enfance. Une petite fille d'Atlanta, Georgie, née au début du siècle, était tout naturellement nourrie des récits familiaux portant sur un terrible conflit encore si proche. La guerre de Sécession laissa des traces indélébiles dans la mémoire de deux générations : surtout dans un Sud vaincu qui n'accepta jamais sa défaite.

En 1932, Peggy enferme son manuscrit inachevé et retourne à ses banales occupations. Un futur best-seller dort entre deux piles de draps parfumés à la lavande.

En 1935, le hasard frappe à nouveau : un éditeur – Harold S. Latham – passe par Atlanta et, informé par une amie intime de Peggy, demande à lire le manuscrit. Celle-ci refuse, puis accepte. Latham s'attelle à la redoutable tâche de lire des milliers de pages raturées en tous sens et devine immédiatement qu'il tient là une œuvre qui fera date. Peggy hésite mais se laisse

D'abord une indiscrétion

convaincre : la machine est en marche. Réécriture de certains chapitres, vérification des détails historiques, corrections : le livre paraît en juin 1936. Si la critique est divisée, le succès public est immédiat et considérable. 176 000 exemplaires s'arrachent dès les premiers mois. À la Noël, la vente dépasse le million. Margaret Mitchell est célèbre du jour au lendemain. Elle ne changera rien de ses habitudes et refusera toute participation au tournage du film. Lorsqu'elle mourra, treize années plus tard, son enfant littéraire aura été traduit en dix-huit langues et lu, dans le monde entier, par des millions de lecteurs.

Un fabuleux succès de librairie : plus de 10 millions d'exemplaires vendus autour du monde. Une édition clandestine circulait en France au temps de l'occupation.

À l'origine, le roman devait s'intituler *Demain est un autre jour*. Mais ceci n'apparaît pas assez grand public. Après plusieurs titres provisoires, Margaret Mitchell adopte *Gone With the Wind*, en français *Autant en emporte le vent*. De même, Pansy O'Hara deviendra-t-elle Scarlett. Ce livre est celui de tous les records : 1 037 pages et deux millions et demi d'exemplaires dans l'édition originale, premier et dernier ouvrage d'une romancière qui mit sans doute beaucoup d'elle-même dans le portrait d'une héroïne hors du commun... tout en prétendant que Scarlett était une "garce".

Initialement le roman de Margaret Mitchell était intitulé "Demain est un autre jour", dernière phrase prononcée par Scarlett après le départ (définitif ?) de Rhett. Ce titre n'apparaissant guère grand public, plusieurs titres provisoires furent pris en compte. Margaret Mitchell s'arrêta définitivement sur le texte d'un poème d'Ernest Dowson, "Gone with the Wind", en français "Autant en emporte le vent", traduction indiscutablement très heureuse.

Entre l'Alabama et la Caroline, au sud du Tennessee, la Georgie est l'État le plus méridional avant la Floride. Le printemps y est superbe et, en ce mois d'avril 1861, il fait bon vivre pour la famille O'Hara dans la vaste propriété de Tara. Comme tous les propriétaires blancs qui, s'ils ignorent "les raffinements de la culture classique, se montrent à la hauteur quand les choses en valent la peine : faire pousser du coton, bien monter à cheval, bien tirer au fusil, bien danser, savoir tenir compagnie aux dames et boire en homme du monde[1]...", O'Hara possède un magnifique domaine, des esclaves respectueux et travailleurs; sa femme est d'une autorité discrète et ses trois filles charmantes.

Une famille paisible...

Le vieil Irlandais est fier de sa réussite. À soixante ans, ses "petits yeux bleus expriment l'éternelle jeunesse d'un être sans problèmes". Son épouse, elle, n'a *plus* de

1. Cette citation et les suivantes sont extraites d'*Autant en emporte le vent*, éd. Gallimard – traduction de Pierre-François Caillé.

La fabrication du coton, principale industrie du Sud.

problèmes depuis qu'elle s'est résignée à ce mariage de raison. À trente-deux ans, elle a donné le jour à six enfants dont trois ont survécu. Si elle n'élève jamais la voix, on lui obéit cependant sur-le-champ. Ellen O'Hara a réussi sa vie et garde secrète la blessure d'un amour malheureux.

Ici la dignité est reine : "Bien qu'ils fussent habitués à la vie facile des planteurs, rien dans leur physionomie n'indique la mollesse ou l'indolence." La famille O'Hara est paisible, organisée, respectée. L'une des filles, pourtant, laisse deviner un fichu caractère : "Dans son visage, empreint d'une douceur minutieusement étudiée, ses yeux verts, frondeurs, autoritaires, pleins de vie, ne correspondent en rien à son attitude compassée." Mais Scarlett a seize ans et "la taille la plus fine de trois comtés". Qui pourrait contrarier un destin tout tracé : le mariage, les enfants, la respectabilité ?...

...prise dans la tourmente

Et pourtant, la guerre qui éclatera dans quelques jours va bouleverser toutes ces paisibles données. Désespérément amoureuse d'Ashley, qui lui préfère la douce Mélanie, Scarlett se marie par dépit pour se retrouver tout aussitôt mère et veuve. Tandis que les combats se rapprochent, la jeune femme hésite entre son amour pour Ashley et une trouble attirance pour un cavalier cynique et séduisant : Rhett Butler. Les péripéties s'amoncelleront (destruction d'Atlanta, mort du père, de la mère et d'un second mari) avant que, la paix revenue sur un pays meurtri, Scarlett partage enfin la vie de l'"homme aux épaules si larges qu'elles en étaient presque trop fortes pour appartenir à un homme du monde".

On l'aura deviné : des êtres aussi exceptionnels ne peuvent vivre en toute quiétude un banal happy end : leur petite fille mourra et Rhett, excédé par le caractère de sa femme, l'abandonnera au dernier chapitre.

Pourquoi cet ouvrage de débutante rencontra-t-il aussi souverainement son public ? Vaste roman-fleuve qui brasse la chronique familiale, la restitution nostalgique, la chronique de guerre et les histoires d'amour, *Autant en emporte le vent* ne trancherait guère sur ses pairs s'il ne s'articulait sur un caractère d'une inhabituelle acuité : Scarlett O'Hara manifeste en toute chose un vigoureux anticonformisme. Les traits abondent : si ses allures d'allumeuse peuvent, au prologue, passer pour de simples coquetteries adolescentes, la suite ne laissera aucun doute. Veuve, elle s'estime trop jeune pour jouer le rôle que lui impose la société et, "continue à danser,

monter à cheval et flirter comme quand elle était jeune fille". Ne supportant plus à son doigt l'alliance de Charles – son premier mari –, elle en fait don au "quêteur". Comme Mélanie ne peut faire moins, la charmante enfant est doublement récompensée de sa perverse manœuvre : sa rivale ne porte plus la bague offerte par Ashley. Même l'amour ne l'empêche pas de garder les pieds sur terre : pour sauver Tara, elle s'offre à Rhett puis épouse un imbécile et devient une redoutable femme d'affaires.

Diaboliquement anticonformiste

Alors ? Détestable, celle "qui ne pouvait suivre longtemps une conversation dont elle n'était pas le principal objet" ? Sans doute, mais aussi extraordinairement vivante : cette transformation d'une fillette futile en femme désabusée s'accompagne aussi de courage, d'entêtement et d'une folle détermination.

Scarlett O'Hara n'a qu'un seul objectif dans la vie : survivre.

Voici peut-être le grand secret d'*Autant en emporte le vent* : un caractère à la fois insupportable et rare dans un genre aussi fortement codifié que la love story littéraire. Jusqu'à son dénouement, les femmes – auteur, actrice, lectrices et spectatrices – occuperont un rôle primordial dans une histoire qui ne fait que commencer.

UN PRODUCTEUR DE LEGENDE

es années-là...

Franklin Roosevelt est président des États-Unis depuis 1933... et le sera jusqu'à sa mort en 1945. Fait exceptionnel dans l'histoire de ce pays. Pour l'instant il se préoccupe de la nouvelle récession qui frappe, en 1937, l'économie américaine. Les revenus baissent de 13 %, le chômage augmente d'un tiers. 1938 verra la reprise. Comme souvent dans les périodes difficiles, le citoyen se réfugie dans le rêve : les héros de l'époque sont Tarzan et Superman, et un nouveau genre littéraire connaît un boom extravagant : la science-fiction.

1939 : c'est la guerre en Europe. Mais l'Europe, c'est loin, et les Américains se partagent entre interventionnistes (minoritaires) et non-interventionnistes (majoritaires). Le 7 décembre 1941, l'attaque japonaise sur Pearl Harbor résoudra le problème.

Pour le cinéma, les années d'avant-guerre marquent l'apogée du classicisme hollywoodien. Toute une génération de réalisateurs est au sommet de la courbe : Capra, Ford, Wyler, Hawks, De Mille (pour n'en citer que quelques-uns) réunissent à la fois l'expérience, le talent et les moyens qui leur permettent de briller dans tous les genres. Comédies musicales, westerns, films d'aventures historiques, mélodrames fleurissent dans les dix-neuf mille salles qui rassemblent, chaque semaine, quatre-vingt-cinq millions de spectateurs. La censure est féroce : ratifié en 1934, le code Hays interdit tous les sujets repoussants, toute obscénité, même verbale, toute attaque contre la religion et, bien entendu, toute représentation ou suggestion d'actes sexuels.

En ces années-là, les favoris du public se nomment Gary Cooper, Errol Flynn, Clark Gable, Cary Grant, Spencer Tracy, Tyrone Power, Humphrey Bogart. Avec Claudette Colbert, Bette Davis, Joan Crawford ou Jean Harlow, ils forment les couples idéaux des grands studios américains.

Huit de ces compagnies représentent 80 % de la production : ce sont des trusts tout-puissants qui contrôlent intégralement la fabrication, la distribution et l'exploitation du film. L'homme-clé du système est le producteur.

Certains sont indépendants. L'un d'eux est très connu des milieux cinématographiques. Bientôt, il sera légendaire. Il s'appelle David O. Selznick.

La signature du contrat de C. Gable, la plus grande vedette de l'époque.

Très myope, très grand, David Selznick est un homme ouragan, un pur produit du cinéma hollywoodien. Élevé dans le sérail par son père Lewis J. Selznick, lui-même créateur de la World Film Corporation, compagnie qui fut très prospère dans les années vingt, le jeune David grandit entre les Rolls familiales et les grands noms du cinéma de l'époque. Si ses études universitaires furent brèves, son apprentissage sur le tas fut précoce... et féroce. À vingt et un ans, David assiste à la faillite de son père, ruiné par ses rivaux. Dans l'univers impitoyable qu'est alors Hollywood, le jeune loup entreprend de se faire une place au soleil de Californie :

Celui qui faisait battre les cœurs : Gary Cooper.

Humphrey Bogart (*Les anges aux figures sales*, Michael Curtiz, 1938).

le plus beau climat des États-Unis, le rêve des immigrants, l'objectif des starlettes, le paradis – ou l'enfer – de toutes les ambitions.

Un homme d'exception pour une entreprise exceptionnelle

Le fils du diamantaire cinéphile va y gagner, en effet, beaucoup d'argent et une lettre supplémentaire. Au sommet de sa puissance, il s'appellera désormais David O. Selznick et dirigera la Selznick International Pictures Inc. Pour l'instant, il trouve à grand-peine une place de scénariste à cinquante dollars par semaine. Son mauvais caractère lui joue – déjà – des tours : la Metro le renvoie. Il

rentre alors à la Paramount où il devient rapidement assistant de production.

1930 : en ces folles années où la fortune sourit aux audacieux, le jeune David répartit sa formidable énergie entre le studio et les femmes. Car cet infatigable bourreau de travail est aussi un bourreau des cœurs. En 1930 – il a vingt-huit ans –, il s'éprend d'Irène, fille cadette de L.B. Mayer en personne. Rien ne résiste à David O. Selznick : cette même année, il épouse Irène. Mayer, qui fut l'un des ennemis jurés de Selznick père, en avale son cigare, mais donne son consentement.

Un autre favori du public : Errol Flynn (*L'Aigle des mers*, Michael Curtiz, 1940).

David continue son ascension : à vingt-neuf ans, il est directeur des studios RKO et y produit de gros succès. L.B. Mayer, qui s'y connaît en affaires et en hommes, commence à considérer son gendre d'un autre œil et l'embauche.

Ils ont refusé *Autant en emporte le vent...*

Annie Laurie Williams est agent littéraire : son flair est infaillible pour ce qui concerne le cinéma. Lorsque l'éditeur lui confie le roman de Margaret Mitchell, elle est aussitôt persuadée qu'elle tient là une excellente affaire. Aussi commence-t-elle par démarcher le plus important des producteurs : Louis B. Mayer. Mais des films récents consacrés à la guerre de Sécession n'ont pas obtenu le succès escompté.

À défaut de bien savoir lire, Mayer sait ▸

David est désormais producteur à la MGM au salaire de quatre mille dollars par semaine. Il y accumule les "grosses recettes", dont une adaptation d'un roman célèbre : *David Copperfield.* Après cet énorme succès, il s'engoue pour les adaptations romanesques.

Mais ce fonceur, cet ogre à qui tout réussit, préfère la liberté à sa prison dorée. Il démissionne de la MGM pour fonder sa propre compagnie. L.B. Mayer enrage, puis s'incline. David O. Selznick est devenu l'un des rois d'Hollywood et mène grand train dans sa somptueuse villa. Les réceptions y sont grandioses, les vedettes s'y montrent, les apprenties comédiennes s'y exhibent. Tout cela ne l'empêche pas de travailler comme un fou.

En 1937, il a produit six films pour lesquels il veille à tout et décide seul des plus infimes détails. Déjà il procède par le truchement des *mémos* qui le rendront odieusement célèbre à Hollywood.

compter. Il refuse. Personne n'est parfait... La fille de Jack Warner lui ayant recommandé l'ouvrage, ce dernier tente en vain de convaincre Bette Davis d'accepter le rôle. Second échec. Après la Metro et la Warner, il y a la RKO. Qui hésite. Trop longtemps. Puis Universal. Qui refuse carrément.

Pendant ce temps, l'ouvrage commence à s'affirmer comme un extraordinaire succès de librairie. Toutes les grandes compagnies ayant refusé l'affaire, un producteur indépendant reçoit à son tour le manuscrit.

Celui qui considérait que ce sont "les mille et un détails entrant dans la fabrication d'un film qui en font une grande œuvre ou qui la démolissent" harcelait ses collaborateurs de notes qu'il dictait, des heures durant et le plus souvent tard dans la nuit, à un bataillon de secrétaires vacillant de fatigue.

Le principal intéressé n'avait pas été consulté. Clark Gable au naturel (reportage d'époque).

Bette Davis refuse le rôle...

Ainsi sont nés ces fameux mémos qui rendaient parfois fous de rage leurs destinataires. Mais la principale qualité d'un grand producteur est d'obtenir de chacun plus qu'il ne peut donner. Les plus grands – Hitchcock, Vidor, Cukor – acceptèrent cette dictature; des chefs-d'œuvre en naquirent.

50 000 dollars qui deviennent aussitôt 65 000

David O. Selznick déclara plus tard : "Le rôle du producteur est à mes yeux semblable à celui du chef d'orchestre... qui surveille tous les détails puis interprète comme il lui convient. Je suis un perfectionniste. Je vise haut, mais j'ai découvert qu'il fallait forcer les gens à viser haut." (Cité par S. N. Behrman, *Les Mémos de David O. Selznick*, Ramsay Poche).

Égocentrique, dictatorial et coléreux, mais aussi compétent que séduisant, voici celui qui va mener à bien la plus prestigieuse production de l'histoire du cinéma. À film exceptionnel, il fallait un homme d'exception.

Curieusement Selznick va monter l'opération – du moins à ses débuts – presque contre son gré. On a vu que les plus grands avaient refusé les offres d'achat des droits : pour la compagnie indépendante et relativement modeste du jeune producteur, le pari est osé. Et puis ne dit-on pas que la guerre de Sécession est un sujet "maudit" au cinéma ? David hésite.

Mais son formidable instinct va prendre le dessus et, oubliant toute prudence, il signe, pour cinquante mille dollars, l'achat du livre de Margaret Mitchell. Puis fait immédiatement répandre, par Louella

Parsons, la rumeur selon laquelle il a enlevé l'affaire de haute lutte et pour soixante-cinq mille dollars. La légende commence à prendre corps.

Fin 1936. Il est décidé à monter l'opération. Un excellent costumier a été embauché pour quinze semaines : Walter Plunkett, qui commence à travailler sur les vêtements d'époque et se rend sur place à Atlanta pour s'y documenter. Bientôt ses ateliers vont produire par centaines les robes à crinoline, les chapeaux des dames de Virginie et les uniformes des Sudistes. Mais les premiers obstacles apparaissent : pour interpréter Rhett Butler et Scarlett O'Hara, il faut des étoiles de première grandeur et, pour assurer la bonne fin d'une aussi gigantesque entreprise, des capitaux neufs.

Coup de poker

Beau-papa Mayer refait son entrée : de l'argent, il en a et, mieux, il possède Clark Gable sous contrat.

Dans l'affaire d'*Autant en emporte le vent*, la MGM possède donc un atout maître. Une étonnante partie de poker s'engage alors entre Mayer et un gendre à la fois adoré et haï; elle va durer presque deux ans.

Walter Plunkett a commencé le travail sur les costumes d'époque : le second couple du film (Leslie Howard - Olivia de Havilland).

Le premier exige la distribution du film. Le second réplique en faisant mine de pressentir Gary Cooper.

Celui qui n'aimait pas Rhett Butler

Le public arbitre en désignant – *vox populi, vox dei* – le viril Clark comme le Rhett Butler idéal. Il devient dangereux d'attendre : en août 1938, les deux compagnies signent un accord, et un chèque de 1 250 000 dollars change de mains.

L'étonnant est que le principal intéressé ne fut pas consulté. On n'avait pas jugé utile de demander son avis au plus populaire acteur de l'époque. Il est vrai que les mœurs d'Hollywood le permettaient. De toute façon, celui-ci n'aimait pas le rôle : on peut avoir les dents aussi longues qu'artificielles et manquer désespérément de flair.

Ce qui n'était pas le cas de David O. Selznick : Gable était, depuis le début, son poulain favori. En mai 1936, alors qu'il n'avait pas encore acquis les droits, le jeune producteur envisageait de faire appel à Gary Cooper, mais avouait déjà une tout autre préférence. En janvier 1937, il disait confidentiellement à G. Cukor que son choix était dans l'ordre : 1, Gable; 2, Gary Cooper; 3, Errol Flynn. Et si, le 25 mars de la même année, il admettait que les chances de l'obtenir étaient voisines de zéro, rien ne pouvait désarmer son obstination.

N'avait-il pas annoncé : "Le public veut Gable et j'ai décidé qu'il aura Gable" ? Là où le public est roi, le séducteur numéro un l'est également.

Studios et producteurs

Si David O. Selznick a représenté l'une des figures les plus extrêmes du magnat tout-puissant, son comportement n'était pas très éloigné des mœurs professionnelles de l'époque.

Le système de production était alors fort différent de ce que nous connaissons. Actuellement – et en France –, un film se monte par la réunion volontaire d'un producteur, d'un réalisateur, d'une maison de distribution et de comédiens qui acceptent individuellement de participer à l'aventure. L'homme-clé – pour ce qui est du contenu et du style de l'œuvre – est le metteur en scène : c'est lui qui choisit le plus souvent son équipe – acteurs et techniciens – et qui mène à bien l'ensemble du tournage et du montage.

Rien de tel dans l'Hollywood d'avant-guerre. Les grands studios – comme la Metro Goldwyn Mayer, la Warner Bros ou la Paramount – possédaient une structure complète, très forte, et avaient sous contrat scénaristes, opérateurs ou comédiens, lesquels étaient donc leurs employés permanents. Les normes de fabrication, le choix des genres abordés, la personnalité des stars maison étaient suffisamment différenciés d'un studio à l'autre pour que les films produits en portent très clairement la marque. Et leur véritable responsable était donc beaucoup plus le producteur, lui-même salarié, que le metteur en scène. Le cas d'*Autant en emporte le vent* est particulièrement exemplaire. Tourné par trois réalisateurs successifs, il doit sa tonalité comme son unité à l'intervention permanente de David O. Selznick sur tout et sur tous.

KING'S STORY

Si l'on n'y compte, en 1901, que huit mille automobiles, les États-Unis possèdent alors trois cent vingt mille kilomètres de voies ferrées. Et si 40 % des soixante-seize millions d'Américains de l'époque vivent dans des villes de plus de deux mille cinq cents habitants, la vie rurale continue.

L'Ouest est déjà entré dans la légende et le cinématographe naissant produit ses premiers westerns. Le 1er février de cette année-là naît celui qui incarnera comme

personne cette Amérique du grand boom, libre, insolente et tout naturellement dominatrice. Autant à l'aise sous l'uniforme, la tenue de cow-boy ou d'aventurier qu'en smoking ou en redingote, Clark Gable incarnera, avec une souveraine désinvolture, l'image même du self-made man.

Mais pour l'instant à Cadiz, Ohio, il vient d'ouvrir les yeux sur William H. Gable, son père, et Adeline Hershelman, sa mère; tous deux d'origine allemande, Gable étant une déformation de Goebel. Le jeune Clark restera fils unique : sa mère mourut alors qu'il avait sept mois et il fut élevé par sa belle-mère. Laquelle lui témoigna la plus grande affection.

Adolescent typiquement américain, il mesure à quatorze ans un mètre quatre-vingts pour soixante-huit kilos, préfère le base-ball aux études et décide très tôt de vivre sa vie. Il abandonne l'école pour travailler à l'usine et se retrouve machiniste au théâtre local.

Emmené de force par son père dans les champs pétrolifères d'Oklahoma, l'apprenti comédien reprend sa liberté le jour de ses vingt et un ans et, nanti de trois cents dollars hérités de son grand-père, entre aussitôt dans une troupe de théâtre itinérante. Suivent plusieurs années d'errance et de difficultés qui le voient alterner les petits boulots et les premiers emplois. Maigre, gauche, affublé de vastes oreilles décollées et de dents gâtées par la sous-alimentation, "Billy" n'est qu'un obscur comédien au physique plutôt ingrat.

Avec Claudette Colbert (*New York-Miami*, Frank Capra, 1934).

Une femme va faire de lui Clark Gable. Josephine Dillon, actrice, metteur en scène et professeur, de quatorze ans son aînée, le prend en charge, l'éduque, le forme... et l'épouse. Avec elle, il monte à Hollywood.

Le temps des nouveaux héros

Nous sommes en 1924, qui marque l'apogée de Rudolph Valentino : celui-ci mourra deux années plus tard. Les jeunes premiers du muet sont – à de rares exceptions près – languides et fades. Le beau Rudolph diffuse même une sensualité plutôt trouble. Dès sa disparition, ses successeurs – Ramon Novarro en particulier – prolongeront ce prototype de bellâtre ambigu. Avec ses manières rustiques et sa carrure de bûcheron, Clark Gable comprend qu'il n'est pas fait pour les grands rôles et, après quelques figurations, retourne au théâtre. Il y connaît de rares succès.

Cependant le monde change et le spectacle aussi. Les années trente se profilent, qui seront dures. La mode du héros évolue : aux romantiques lascifs vont succéder des hommes, des vrais. Le caractère va supplanter la beauté : James Cagney, Humphrey Bogart ou Spencer Tracy incarnent ces nouvelles images de la virilité. Après quelques rebuffades – Darryl F. Zanuck dit de lui : "Ses oreilles sont trop grandes, on dirait un singe" –, Clark Gable commence à faire parler de lui. On lui confie quelques rôles sans que son emploi soit encore clairement fixé. Il est à la croisée des chemins, hésitant entre les personnages de

Clark Gable sans sa célèbre moustache séduisant une charmante vahiné (*Les révoltés du Bounty*, 1935).

brute et ceux de séducteur. Ce qui lui vaut quelques faux pas, tel celui du jeune premier romantique de *La Pécheresse.* Visiblement, il n'est pas un amoureux transi.

Cynique séducteur

Un film va fixer définitivement son image. Une barbe de plusieurs jours, un dialogue cinglant et des duos d'un érotisme rare pour l'époque : *La Belle de Saigon* remporte un énorme succès en 1932. Il a pour partenaire Jean Harlow. L'actrice y défraie la chronique par un détail fort en avance sur une mode à venir : elle ne porte pas de soutien-gorge. L'acteur, lui, impose un personnage de séducteur cynique et brutal qui n'hésite pas à malmener ses partenaires féminines comme ses mâles adversaires. Le titre suivant est lourdement symbolique : *Un mauvais garçon,* qu'il interprète avec Carole Lombard. Lucidement, Clark Gable comprend que ses emplois risquent d'être limités : il insiste pour tourner *New York-Miami* avec Claudette Colbert. En obtenant un prix d'interprétation masculine pour cette comédie, sacrée meilleur film de l'année, il s'impose désormais comme un véritable acteur. La voie royale s'ouvre devant lui. Il va devenir l'une des rares vedettes de l'époque, avec Gary Cooper, qui puisse alternativement jouer les séducteurs mondains – tels Cary Grant, John Barrymore – et les aventuriers – comme Randolph Scott ou Errol Flynn.

Vingt ans plus tard... et toujours aussi fascinant dans un film justement intitulé *Un roi et quatre reines* (Raoul Walsh, 1956).

Entièrement "refaçonné" (la Metro lui a offert une denture toute neuve), Clark Gable est désormais l'une des plus populaires stars d'Hollywood et vole de triomphe en triomphe : *Les Révoltés du Bounty, San Francisco, Pilote d'essai...* Les

spectatrices l'adorent, comme tous ceux qui l'approchent. S'il sacrifie aux nécessités du vedettariat et accumule les mariages, il reste un homme "nature" et sans façon. L'acteur le plus populaire de son époque est à la fois timide, réservé, peu sûr de lui et d'une instinctive générosité. Ainsi étend-il, un jour, d'un coup de poing un Blanc qui se montrait incorrect envers la chanteuse noire Billie Holiday. De même s'engagera-t-il très spontanément, en 1940, comme simple soldat. Mélange rare d'élégance et de naturel, de vulnérabilité et d'énergie, de cynisme et de galanterie, Clark Gable va bientôt devenir "le Roi", surnom qu'il portera jusqu'à sa mort.

Butler/Gable : deux symboles

Lorsqu'elle commence, en 1926, à écrire *Autant en emporte le vent,* Margaret Mitchell ne peut songer à Clark Gable. Mais quand elle met la dernière main à son œuvre, celui-ci est devenu un symbole pour toutes les femmes américaines. La description en est, en tout cas, frappante : "Il sourit et découvrit des dents dont la blancheur animale était rehaussée par une moustache noire coupée court. Il avait le regard conquérant et sombre... Il souriait avec une belle effronterie, sa bouche avait une telle expression d'ironie cynique que Scarlett en eut le souffle coupé."

Celui qui allait faire de Rhett Butler l'inoubliable création que l'on sait fit tout pour refuser le rôle, le jugeant trop lourd et trop complexe. On a vu comment la pression populaire et l'indomptable détermination de David O. Selznick eurent finalement raison de ses réticences. Restait à trouver une partenaire digne de lui...

LA PLUS GRANDE CHASSE A LA FEMME

Scarlett O'Hara n'était pas d'une beauté classique, mais les hommes ne s'en apercevaient guère... Sur son visage se heurtaient avec trop de netteté les traits délicats de sa mère, une aristocrate du littoral, de descendance française, et les traits lourds de son père, un Irlandais au teint fleuri. Elle n'en avait pas moins une figure attirante avec son menton pointu et ses mâchoires fortes. Ses yeux, légèrement bridés et frangés de cils durs, étaient de couleur vert pâle sans la moindre tache noisette..." Ainsi débute le roman, par la description de son héroïne. Une beauté non classique et des yeux verts qui vont faire rêver pendant trois ans tout ce que l'Amérique compte de prétendantes au rôle.

Pourquoi cette véritable folie collective ? Opération publicitaire bien menée, certes; mais aussi lutte sans merci des stars féminines pour un emploi qui s'annonce prestigieux. On l'a vu : leurs homologues mâles sont sensiblement moins nombreux à se bousculer au niveau suprême.

La star est née avec l'essor industriel du cinéma : elle est celui (ou celle) qui assure, sur son seul nom, le succès économique d'un film. Avec ses semblables, elle constitue un club très fermé, et les grandes compagnies gardent jalousement sous contrat ces clés de voûte du système hollywoodien.

Vivien Leigh : une jeune Anglaise inconnue va supplanter les plus grandes stars.

Bette Davis, Katharine Hepburn, Joan Crawford, Paulette Goddard, Susan Hayward sont d'authentiques stars. À l'occasion du choix de l'interprète idéale de Scarlett O'Hara, elles – et bien d'autres – seront tour à tour attirées ou pressenties. La plus extravagante chasse à la femme de l'histoire du spectacle va débuter.

En effet, si Clark Gable est assez vite apparu comme évident, il n'en fut pas de même pour le premier rôle féminin. Margaret Mitchell eut beau déclarer que certains emplois secondaires – tels ceux d'Ashley ou Mélanie – seraient bien plus délicats à tenir, rien n'y fit : l'identité de celle qui serait Scarlett devint vite une affaire d'État. Selznick comprit-il dès l'origine le formidable impact publicitaire de cette recherche ou fut-il dépassé par les événements ? Ce fut lui en tout cas qui enfanta la tempête en organisant un sondage préalable. Le choix populaire se porta sur Bette Davis, immédiatement suivie par Katharine Hepburn.

La première est alors sous contrat à la Warner. Jack Warner accepte de la libérer contre 25 % des recettes et offre en prime

Bette Davis contre 25 % des recettes... ...et en prime, Errol Flynn !

Errol Flynn. Mais Selznick hésite pour ce dernier, et Bette Davis consomme la rupture en clamant qu'elle refuse de tourner avec le bel Australien. Le prétexte est trouvé : l'affaire ne se fait pas. L'actrice, ulcérée, médite sa vengeance. Ce sera *L'Insoumise* : "Une fausse Scarlett."

Entrée en scène de Tallulah Bankhead. Un monstre sacré dans tous les sens du terme : actrice au talent très moyen mais qui défraie avec éclat la chronique scandaleuse; alcoolique, droguée, passablement nymphomane, elle pousse la provocation jusqu'à afficher des liaisons féminines. Louella Parsons ne craint pas d'écrire à son sujet : "J'ai bien peur qu'elle obtienne le rôle. Si elle l'a, je vais me retirer chez moi pour pleurer dans mon coin, parce que, pour moi, elle n'est pas Scarlett O'Hara, et David O. Selznick aura à en répondre devant chaque homme, chaque femme et chaque enfant américain." L'auteur de ces propos est la plus célèbre chroniqueuse du temps : on mesure à cette seule citation combien le personnage du roman est en passe de devenir une héroïne nationale. Tallulah fait un bout d'essai qui ne convainc personne. Trop âgée peut-être. Trop tapageuse, certainement. Elle ne sera donc pas Scarlett et, du coup, rentrera dans l'ombre, devenant la première victime d'un impitoyable jeu de massacre auquel va participer tout ce qu'Hollywood compte de vraies ou de fausses gloires. Les agents de publicité s'agitent désespérément, le public – versatile – s'enflamme pour Norma Shearer qu'on estimera peu après démodée, puis pour Lucille Ball qui fait un essai sans suite. À qui le tour ? Le miracle tourne à la malédiction.

Une Scarlett en paquet-cadeau

David O. Selznick, qui n'est pas à un coup de génie près, lance alors un véritable avis de recherche, par le canal de la grande presse. Ce formidable montage publicitaire déclenche des retombées inimaginables. Un authentique vent de folie fait déferler des hordes de candidates prêtes à tout, qui assiègent le studio, les bureaux de la production, se traînent aux genoux des plus modestes assistants, expédient par milliers lettres et photos et parfois s'envoient... elles-mêmes, comme celle-ci qui se fit "livrer" à David O. Selznick dans un énorme paquet-cadeau. L'histoire n'a pas retenu son nom, pas plus que celui des milliers

Parmi celles qui ne furent pas Scarlett : Susan Hayward

Tandis que David O. Selznick traitait avec les plus grandes actrices de l'époque, plus de cent rabatteurs écumaient les lieux privilégiés. Parmi les milliers de candidates l'une fut remarquée, selon certains, par Irène Selznick dans un défilé de mode, selon d'autres par Cukor sur la couverture d'un magazine. Elle était en tout cas mannequin, avait dix-huit ans et s'appelait Edythe Marrener. Si elle n'obtint pas le rôle de Scarlett, elle devint célèbre sous le nom de Susan Hayward. D'une nature excessive, exhibitionniste, elle interpréta d'hallucinants mélodrames, fit beaucoup pleurer les foules dans des rôles d'épouses délaissées sombrant dans l'alcoolisme, et obtint un oscar en 1958 avec *I Want to Live (Je veux vivre)* de Robert Wise. Sa vie sentimentale fut aussi orageuse que ses rôles. Elle mourut en 1975 d'une tumeur au cerveau.

L'éternel séducteur Gary Cooper en compagnie de Paulette Goddard (*Les Tuniques écarlates,* Cécil B. De Mille, 1940).

d'apprenties comédiennes qui rêvèrent d'incarner la "jeune fille aux yeux verts". A certaines – la légende dira beaucoup –, le producteur fera passer des essais très personnels. L'ogre du cinéma aime la chair fraîche. Et dans ce domaine aussi son appétit est insatiable.

Paulette Goddard, candidate au titre

Reste qu'il est temps de revenir aux choses sérieuses car le début du tournage approche.

Paulette Goddard est alors à l'aube de sa carrière. D'une beauté de "brune piquante" qui prédispose aux rôles pétulants, agressifs ou fantaisistes, elle est, à vrai dire, surtout connue à l'époque pour sa liaison avec Chaplin.

Elle faillit obtenir le rôle : Paulette Goddard avec Chaplin (*Les temps modernes*, 1936).

Mais son physique – bien qu'éloigné de la description de l'auteur – et son énergie en font une Scarlett très convaincante. Elle signe un contrat avec Selznick qui, ignorant les véhémentes protestations de Chaplin, l'envoie à La Nouvelle-Orléans pour y travailler son accent du Sud. Puis George Cukor – qui a été choisi pour réaliser le film – lui fait tourner deux scènes avec le jeune Jeffrey Lynn. Elle s'y montre excellente : la cote de Paulette Goddard est au plus haut; plus rien ne devrait l'empêcher de décrocher ce rôle si convoité.

La meilleure dans la course : Katharine Hepburn

Plus rien ? En cet Hollywood de 1938, tout est possible, y compris le pire. Une ignoble campagne se développe autour du réalisateur des *Temps modernes*, qui ont politiquement choqué les milieux conservateurs, et de sa "maîtresse", Paulette Goddard. Les clubs de femmes, tout-puissants en Amérique, réclament un acte de mariage. Incroyable mais vrai. Selznick exige à son tour des preuves : il obtient des explications embarrassées... Finalement, il cède à l'opinion en annonçant que la chasse aux Scarlett est de nouveau ouverte. Lui, l'homme de fer, cédant à des arguments absurdes... On croit rêver ! C'est que s'il est omnipotent à l'intérieur du studio, il ne peut rien contre le public et les groupes de pression. Paulette Goddard ne tournera donc pas *Autant en emporte le vent.* Elle se consolera en étant la vedette du *Dictateur*, des *Conquérants d'un nouveau monde* et du *Journal d'une femme de chambre.* On ne saura jamais si elle fut, ou non, réellement mariée pour un temps avec Charles Chaplin.

Une autre prétendante : Katharine Hepburn (*Sylvia Scarlett*, George Cukor, 1935).

David O. Selznick est revenu à la case départ et les nuages s'amoncellent. Son formidable coup de bluff est en train de se retourner contre lui : il n'a pas trouvé la Scarlett idéale et les comptables du studio commencent à effectuer des additions inquiétantes. Il est temps de mettre en chantier. Un nom alors revient : celui de Katharine Hepburn, déjà cité avec celui de Bette Davis.

Celle qui deviendra l'immense actrice que l'on sait possède, à trente-deux ans, une solide expérience théâtrale et a déjà obtenu un oscar en 1933. De toutes les candidates, c'est sans contredit la meilleure comédienne, dotée, de surcroît, d'un caractère de chien qui l'apparente aisément à la blonde Sudiste. Mais elle a contre elle une popularité très moyenne et surtout une absence quasi

totale du "sex-appeal" conforme aux normes de l'époque. Katharine est, certes, en avance sur son temps et imposera par la suite un personnage de femme de tête qui supplantera les belles évaporées, mais pour l'instant Selznick la trouve désespérément plate...

Le 18 novembre 1938 – le début du tournage est prévu pour février 1939 ! – il hésite encore. Cinq noms reviennent et il écrit : "Nos meilleures chances de succès semblent être actuellement Paulette Goddard, Doris Jordan, Jean Arthur, Katharine Hepburn et Loretta Young." Trois jours plus tard, il précise à nouveau que le choix se situe entre ces cinq vedettes mais conclut par une phrase énigmatique : "Plus un nouveau visage qui pourrait se présenter en dernière minute."

Survient alors la célèbre scène de l'incendie d'Atlanta. Dans la nuit du 10 décembre 1938, un informateur anonyme alerte les salles de rédaction : les studios de Selznick sont en flammes. Les reporters se précipitent.

En réalité le producteur a décidé de donner le coup d'envoi tant attendu. Sur plus de quinze hectares brûlent des décors désaffectés tandis que des doublures – et pour cause ! – figurent les silhouettes de Scarlett et de Rhett fuyant l'incendie. À film géant prélude grandiose : sept caméras filment sous tous les angles Atlanta en flammes. Les meilleurs spécialistes de l'époque allument sur commande de gigantesques foyers tandis qu'une escouade de pompiers veille à la

O. Selznick la trouvait trop plate.. (Katharine Hepburn dans *L'impossible Monsieur Bébé*, Howard Hawks, 1938).

sécurité. Selznick, perché sur une plate-forme, dirige les opérations tel un moderne Néron et savoure son triomphe.

Deux grands yeux gris-vert, une cascade de cheveux roux

C'est alors qu'il aperçoit dans la foule des invités une étonnante apparition que Roland Flamini décrit ainsi : "Deux grands yeux gris-vert, une cascade de cheveux roux... Une silhouette fragile, délicate, s'enveloppant frileusement dans un manteau de vison[1]"; et Selznick lui-même rapportera en 1941 : "Je ne me suis jamais remis de ce premier coup d'œil."

Scarlett O'Hara venait d'apparaître, baignée des lueurs de l'incendie d'Atlanta. Romantique, non ?

La vie, hélas, l'est moins que le cinéma. En vérité la candidature de Vivien Leigh avait déjà été évoquée : en février 1937, près de deux ans auparavant, Selznick écrivait : "Je n'éprouve pas d'enthousiasme pour elle", et en février 1938, après avoir visionné *Vivent les étudiants (A Yank at Oxford)* et en envisageant la distribution de *La famille sans-souci.* : "Bien que je trouve que Vivien Leigh joue parfaitement bien... je ne l'aime pas autant que Margaret Lindsay, Pat Patterson ou Dorothy Hyson." (in *Memos*).

Il est vrai qu'il n'avait, en effet, pas encore rencontré en chair et en os la délicate jeune actrice anglaise. Laquelle prend aussitôt place parmi les possibles et est immédiatement convoquée pour d'ultimes essais en compagnie de Paulette Goddard, Joan Bennett et Jean Arthur. Une journée de tournage est prévue pourchacune et pourtant

Selznick n'est pas encore déterminé. Il écrit : "Et si elles n'étaient pas bonnes ?" Nous sommes le 17 décembre. Le 4 janvier, il envoie cette note énigmatique (et confidentielle) : "Vivien Leigh ferait *Autant en emporte le vent* et un second film avec nous... Si elle est vraiment aussi bonne que nous l'espérons, j'imagine que nous avons eu de la chance aussi." (in *Mémos.)*

Que s'est-il passé durant ces deux semaines ? Alors que les candidatures, les essais, les refus des plus grands noms d'Hollywood s'étalent depuis deux ans dans tous les journaux, une actrice *anglaise*, relativement peu connue, décroche, en

Le premier tour de manivelle est donné : on embrase quinze hectares de décors pour filmer l'incendie d'Atlanta.

quelques jours, le rôle tant envié. De même, alors que Selznick dictait chaque jour des dizaines de ses célèbres mémos portant sur d'infimes détails, *aucun* texte n'a été retrouvé concernant les circonstances exactes du choix définitif.

Deux semaines de mystère

Sans doute les seuls essais furent-ils suffisamment concluants, pour Cukor comme pour son producteur. Sans négliger qu'une quasi-inconnue apportait un surplus publicitaire non négligeable. Mais un petit mystère continue de planer sur la conclusion de cette extraordinaire opération. Quelques jours plus tard, les Américains apprirent donc que Vivien Leigh interpréterait Scarlett O'Hara. Beaucoup s'étonnèrent.

C'était au début du siècle et au temps de l'Empire des Indes. Un jeune Anglais – Richard Hartley – débarque à Calcutta pour y faire carrière et occupe ses loisirs à

pratiquer le théâtre en amateur. Lorsqu'il revient en congé dans le Yorkshire, il épouse Gertrude Robinson Yackje. Elle a du sang français et irlandais, lui de lointaines ascendances françaises. Ils sont également séduisants et romantiques.

Une actrice méconnue

De retour aux Indes, Gertrude donne naissance, le 5 novembre 1913, à une adorable petite fille que ses parents prénomment Vivien. Élevée successivement par une nourrice indienne et une gouvernante anglaise, celle-ci connaît une éducation disparate et libérale jusqu'à ce qu'elle soit inscrite chez les sœurs à Roehampton. Nous la retrouvons, à dix-neuf ans, élève à l'Académie royale d'art dramatique et mariée à Herbert Leigh, de treize ans son aîné, avocat et sosie de son acteur préféré : Leslie Howard.

Remarquée par Alexander Korda, elle interprète de petits rôles au cinéma, mais surtout manifeste un amour total pour le théâtre... et pour Laurence Olivier, le plus célèbre acteur shakespearien de son temps. Il lui faudra trois ans pour conquérir l'un et l'autre. En 1935, son interprétation d'Henriette Duquesnoy – une prostituée qui épouse un noble et le conduit à la déchéance – la rend célèbre du jour au lendemain.

Vivien Leigh entre dans la légende du cinéma avec ce qui sera son plus grand rôle.

Cette même année, Laurence Olivier triomphe dans *Hamlet*. Elle le rencontre dans sa loge; il l'invite à déjeuner; ils ne se quittent plus.

En 1937, elle tourne aux côtés du cher "Larry" une superproduction historique, *L'Invincible Armada (Fire over England)*. Laurence Olivier y joue un héroïque lieutenant de marine, elle une tendre amoureuse. Selon les témoins, les scènes

"L'invincible Armada", le premier film dans lequel Vivien et Laurence Olivier jouent ensemble.

d'amour y sont d'un naturel... étonnant !
Les deux comédiens commencent à défrayer la chronique.

A la conquête du succès ...et de l'amour

Et ce n'est qu'un début, bien qu'ils tournent peu ensemble : trois films, dont *Lady Hamilton* (1941) où Vivien Leigh interprétera la célèbre amoureuse, et Laurence Olivier le bouillant amiral Nelson.

Vivien Leigh en compagnie de Robert Taylor (*La valse dans l'ombre*, Mervyn Le Roy, 1940)...

Mais si le cinéma ou le théâtre les éloignent parfois, ils supportent mal ces séparations. Aussi, lorsque, le 5 novembre 1939, “Larry” embarque sur le *Normandie* pour se rendre aux États-Unis, la belle jeune femme ne tarde pas à l'y rejoindre. Celui-ci tourne alors avec Merle Oberon le film qui fera de lui une vedette internationale : *Les Hauts de Hurlevent*. Nous sommes fin 1939 : David O. Selznick n'a toujours pas trouvé sa Scarlett. Il la rencontre pendant l'incendie d'Atlanta.

Vivien Leigh a 26 ans, mesure 1,50 m et pèse 45 kilos. Elle est quasi inconnue aux États-Unis; le public américain s'étonne. Elle est anglaise; certains s'indignent qu'elle interprète une héroïne sudiste; des associations de vieilles dames protestent et un journal titre même : "Une insulte à

> **Une insulte à chaque actrice américaine**

chaque actrice américaine." Ses yeux n'ont pas exactement la teinte requise; l'opérateur placera un spot jaune sous la caméra pour lui donner le regard vert de Scarlett

Mariée, elle affiche sa liaison avec un acteur qui l'est également; David O. Selznick frémit en pensant à l'échec de Paulette Goddard, mais passe outre. Elle est – en apparence – d'une fragilité de porcelaine; elle va entreprendre un tournage de cinq mois qui, à raison de seize heures de travail journalier, la mènera au bord de l'épuisement. Pour l'instant, "la plus grande chasse" s'achève sur son triomphe.

UN TOURNAGE FOU, FOU, FOU

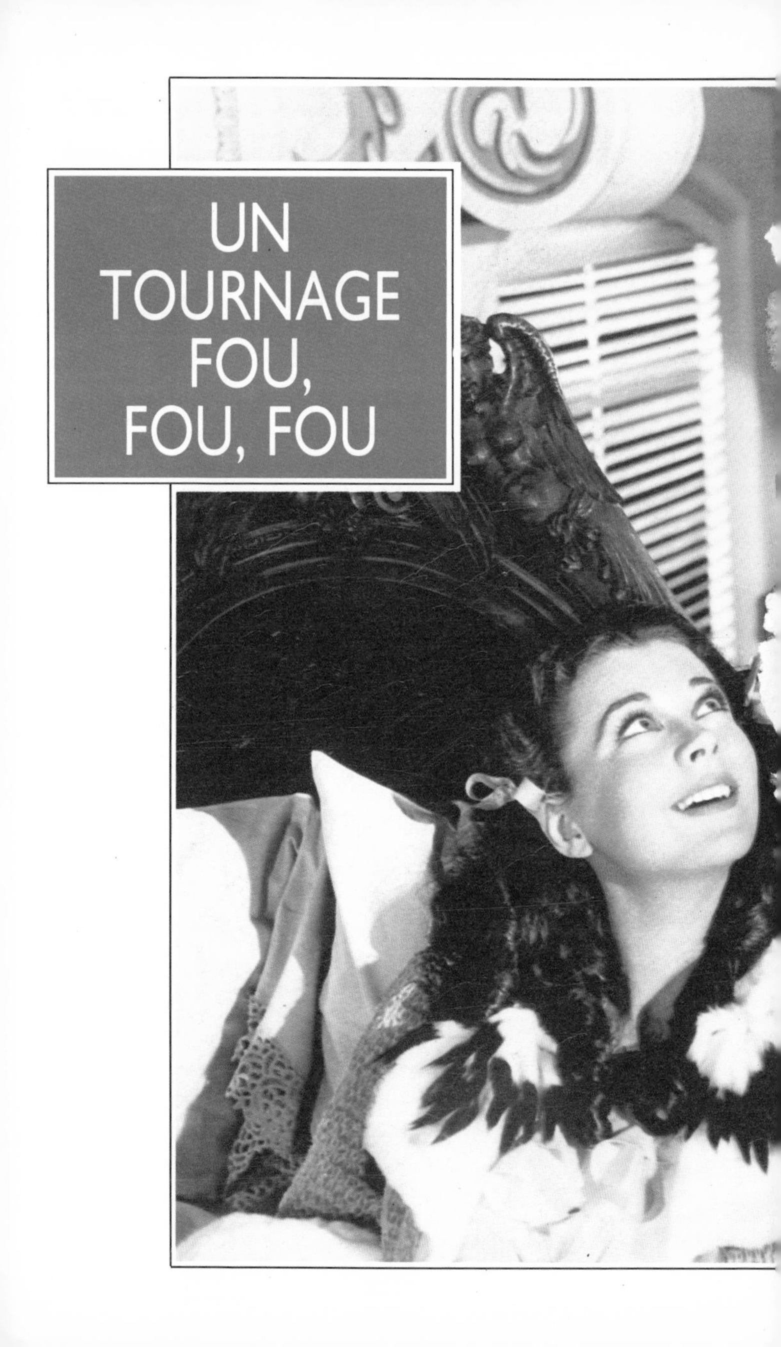

a recherche d'une Scarlett idéale n'avait bien entendu pas empêché David O. Selznick de travailler au film... comme il savait le faire, c'est-à-dire jusqu'au moindre détail. Dès le début de l'année 1937, il s'entretient longuement avec Cukor des problèmes posés par l'adaptation d'une aussi gigantesque épopée. Pendant six mois, il y travaillera quatre ou cinq heures par jour.

Déjà, il prévoit un film de deux heures et demie – celui-ci fera une heure de plus – et refuse de le proposer en deux parties. Avec un flair remarquable, il écrit : "Nous ne devrions pas tenter de corriger certaines erreurs apparentes de la construction. J'ai appris à ne pas essayer d'améliorer les succès. On ne sait jamais quels ingrédients chimiques sont entrés dans la composition de quelque chose qui a séduit des millions de personnes."

Il suggère par contre des coupes dans les "nuits d'amour" – lui, le dévoreur de starlettes ! –, mais surtout tient à supprimer tout ce qui touche au Ku Klux Klan, pour les raisons politiques que l'on devine. Et ajoute qu'il ne désire pas produire un film "contre les nègres".

En revanche, il tient beaucoup à conserver certains détails réalistes comme l'appétit de Scarlett ou la mort du cavalier yankee. Dans le même temps, il poursuit l'établissement du budget du film – prévu pour plus de 2 millions de dollars, il coûtera finalement le double –, la constitution de l'équipe technique et le choix des acteurs.

Leslie Howard a 43 ans lorsque George Cukor lui confie le rôle principal dans *Roméo et Juliette.*

Les rôles secondaires seront facilement pourvus. Dès octobre 1937, il a fait contacter Leslie Howard pour interpréter Ashley... en précisant cyniquement que ce comédien a fait un fiasco au box-office dans tous ses derniers films sans exception et qu'il ne devra donc émettre aucune prétention de cachet ou de place sur l'affiche. Le jeune producteur sent qu'il tient un sujet fabuleux et annonce déjà : "C'est le film que nous voulons mettre en vedette." Il emprunte Olivia de Havilland à la Warner : sa distribution se complète heureusement.

Leslie Howard interprétera Ashley.

Mais surtout, il lui faut un metteur en scène plus enthousiaste que George Cukor. Tout en reconnaissant l'immense talent de celui-ci, il s'impatiente devant les réticences et les caprices du réalisateur de *David Copperfield.* Dès septembre 1938, il envisage – déjà – de s'en séparer au profit de Victor Fleming, mais poursuit cependant le travail avec lui. Le 7 janvier, alors que le premier jour de tournage est prévu pour le 26 du même mois, Selznick propose encore des modifications de scénario et prend le temps de préciser à Ed Sullivan que Vivien Leigh, ayant un père français et une mère irlandaise, est parfaitement indiquée pour jouer Scarlett... dont la mère est française et le père irlandais.

On tourne... enfin

Mais la date fatidique approche. Le 25 janvier il peut écrire : "Il y a deux jours, j'étais dans un état d'agitation épouvantable, mais ce soir, veille du premier jour de tournage, je suis plein de confiance... Il va falloir me supporter pendant les deux mois à venir qui seront les plus durs de ma vie – et peut-être les plus difficiles qu'aucun producteur ait jamais connus[1]."

Le tournage de l'incendie d'Atlanta n'avait été qu'un avant-propos, un coup de publicité et peut-être une façon de conjurer le sort. Le second tour de manivelle est donné le 26 janvier 1939. On débute par la scène de Scarlett courant au-devant de son père et flirtant avec les jumeaux sur le perron de la demeure familiale. Par une curieuse coïncidence, ces dernières images de paix avant que ne débute la guerre civile qui va ravager les États-Unis sont filmées au moment même où les nuages s'amoncellent sur l'Europe. Bientôt les divisions nazies vont déferler et la France ne découvrira Scarlett O'Hara que dix ans plus tard.

Mais si l'ambiance est tendue dans les studios, ce n'est pas à cause des rumeurs de guerre : George Cukor navigue à vue entre un découpage encore incertain (trop de scénaristes se sont succédé pour qu'il soit suffisamment rigoureux), les retards dans la préparation (on filme dans des décors à peine achevés) et une équipe nombreuse et disparate. Les petits incidents s'accumulent : un ouvrier de studio ayant innocemment placé des pancartes "Blancs" et "gens de couleur" dans les toilettes, les figurants noirs protestent énergiquement.

Le metteur en scène qui dirigea si bien les actrices, George Cukor en 1936...

... et quarante ans plus tard en compagnie d'Ava Gardner sur le tournage de *L'Oiseau bleu* (1975).

Vivien Leigh, dans la scène où elle gifle Prissy, distribue à l'actrice des claques vigoureuses. Butterfly McQueen exige des excuses. Cukor explose de colère. Mais tous les incidents ne sont pas tristes. Ainsi, lorsqu'on filme la scène où Mélanie donne sa chemise de nuit à Scarlett pour recouvrir le cadavre du déserteur, une foule compacte épie derrière le décor... Déception générale : sous sa camisole, Olivia de Havilland porte un caraco et un pantalon.

Et, bien entendu, la rubrique amoureuse alimente les conversations de cantine. Le puritanisme hollywoodien est tel qu'on interdit à Laurence Olivier de venir sur le plateau et qu'on l'oblige à quitter la maison qu'il partage avec Vivien Leigh. Leslie

Howard, lui, présente sa compagne, Violette Cuningham, comme sa secrétaire. Ce qui ne trompe personne, mais les apparences sont sauves. L'hypocrisie ambiante n'empêche pas les sous-entendus grivois, voire les encourage : Clark Gable montre fièrement à toute la troupe l'écrin tricoté par Carole Lombard et destiné à lui conserver bien au chaud les parties génitales.

Le film cependant avance et Cukor met en scène l'épisode du bal qui constitue l'un des sommets de l'œuvre. Séquence magnifique où Scarlett, en tenue de veuve, danse éperdument au bras de Rhett sous les regards scandalisés des participants. Le réalisateur y insère une tirade virulente de Mélanie, déclenchant la colère de Selznick. De son côté, Clark Gable qui, depuis le début, snobe visiblement son metteur en scène, cesse carrément de venir au studio. L'heure du choix a donc sonné.

Dès le début du tournage, les relations entre son producteur et George Cukor

Ashley entre ses deux "femmes" : Mélanie la douce et Scarlett la garce.

s'étaient détériorées. Le réalisateur de *Roméo et Juliette* possédait une forte personnalité d'auteur, un style bien particulier, aimait à improviser au tournage et s'attachait beaucoup aux détails; toutes choses qui font le charme de ses films mais qui ne pouvaient qu'irriter un caractère aussi dictatorial que celui de Selznick. Celui-ci pensa-t-il que le film allait lui échapper ou s'inquiéta-t-il de la lenteur du metteur en scène ?

Cukor s'en va...

Toujours est-il qu'il lui fit parvenir, le 8 février 1939, un de ses célèbres mémos lui intimant sèchement d'adopter un système qui lui permette de voir les scènes en répétition et non déjà tournées. En ajoutant, pour faire bon poids, que cela lui éviterait "des surprises en projection".

Le camouflet était évident et Cukor, qui ne manquait pas non plus de caractère, ne pouvait accepter d'aussi notables ingérences. Que se passa-t-il entre les deux hommes ?

Aucune note ne mentionne le contenu de leurs entrevues. Le résultat, lui, ne se fit pas attendre et, cinq jours plus tard, une déclaration commune constatait le divorce. Selznick y rendait hommage au talent du réalisateur et concluait en disant que son seul espoir était de pouvoir le remplacer par un homme aux talents comparables. Aimable formule que son interlocuteur, grand seigneur, accepta avec humour. Mais sur le plateau, deux yeux clairs flamboyaient de colère.

... et Vivien Leigh fait front

Le départ de Cukor fut un coup très dur pour Vivien Leigh. Elle s'entendait admirablement avec cet homme fin et délicat qui, comme elle, adorait le théâtre et l'avait beaucoup aidée à "devenir" Scarlett. Et pourtant, elle n'était pas, au départ, sa candidate idéale : l'ayant vue en Angleterre où il avait séjourné, il l'avait trouvée un peu trop glacée pour interpréter une telle fille de feu. Mais il était aussi trop honnête homme et surtout trop professionnel pour ne pas deviner, dès les premiers essais, qu'elle serait la Scarlett idéale. Lorsqu'il la convoqua à son bureau et lui fit répéter sa première scène avec Ashley, ce vieux renard du show-biz fut bouleversé par la soudaine intensité qui se dégageait d'elle. Une Anglaise bon chic bon genre, réservée et charmante, devenait sous ses yeux une impétueuse et impudente fille du Sud.

Malgré les baisers... de cinéma, les relations n'étaient pas au beau fixe entre Vivien Leigh et Clark Gable.

La jeune femme tourna donc, sous sa direction, la première scène du film, dans une robe fleurie très décolletée. Mais

Olivia de Havilland

C'est un peu la grande oubliée d'*Autant en emporte le vent...* Sans doute parce qu'elle y interprète un rôle particulièrement ingrat, celui de la douce et fidèle Mélanie. Elle était pourtant, à l'époque du tournage, autrement célèbre que Vivien Leigh, ayant formé avec Errol Flynn l'un des couples les plus célèbres de l'écran : *Capitaine Blood, La Charge de la brigade légère, Les Aventures de Robin des Bois,* autant d'aventures hautes en couleur dont elle partageait la vedette. Née en 1916, Olivia de Havilland tourna beaucoup et remporta deux oscars, en 1946 et 1949. Son dernier film, *L'Inévitable Catastrophe,* date de 1977.

Selznick demanda que l'on change sa tenue pour une toilette blanche beaucoup plus chaste. Ce fut sa première intervention, bénigne, mais qui montrait à quel point il entendait contrôler le film. Vivien, tout à son enthousiasme, ne s'aperçut de rien et l'annonce du remerciement de Cukor fut, pour elle, un coup de tonnerre. Bien que mesurant les risques encourus, elle n'hésita pas à se rendre auprès du producteur, accompagnée d'Olivia de Havilland, pour tenter de le faire revenir sur sa décision. On devine que ce fut en vain. Le film fut interrompu pendant quelques jours puis reprit sous la direction de Victor Fleming, pour qui l'actrice éprouva immédiatement une profonde aversion. Dans le même temps, elle s'inquiétait d'une prochaine séparation d'avec Laurence Olivier qui terminait *Les Hauts de Hurlevent* et devait se rendre à New York pour y monter une pièce. De plus, ses relations avec Clark Gable

Olivia de Havilland, à l'époque où elle tourna *Ma cousine Rachel* (Henri Koster, 1952).

n'étaient pas au beau fixe, une sourde rivalité les opposant. Pourtant Vivien Leigh se confirmait comme une grande actrice; faisant preuve à tout moment d'une parfaite conscience professionnelle, elle se rendait en cachette chez George Cukor qui lui faisait travailler son rôle. Jusqu'au jour où l'une de ses altercations quotidiennes avec Fleming se termina par cette phrase : "Miss Leigh, votre roman, vos idées, vos amis, vous pouvez vous les mettre au cul ."

Victor Fleming, en effet, pratiquait un langage d'une grande verdeur. Après avoir visionné ce qui avait été tourné par George Cukor, il prononça cette phrase restée célèbre :

"David, votre putain de scénario est une vraie merde." À défaut d'être un grand réalisateur, c'était un homme de caractère et un solide technicien.

Il était temps de reprendre les choses en main. Le metteur en scène précédent était brillant mais perfectionniste et lent : en trois semaines, huit cent mille dollars avaient déjà été dépensés et le respect du scénario aurait conduit à un film de plus de quatre heures. Des rumeurs d'abandon du projet couraient ici ou là et, lorsque Selznick lui demanda son avis, Clark Gable proposa sans hésiter que l'on choisisse Fleming. Il se sentait parfaitement à l'aise avec un homme qui avait été pilote d'aviation et chasseur de grands fauves. Au reste, celui-ci retrouva immédiatement le goût du safari en obtenant la tête des scénaristes précédents.

Être "metteur en scène" dans ces années-là

La désinvolture avec laquelle on embauchait ou remerciait un metteur en scène – fût-il des plus célèbres – peut aujourd'hui étonner. Et pourtant tel était le pouvoir de la production.

David O. Selznick commença le film avec George Cukor qui assura toute la préparation, puis envisagea Frank Capra et même le vétéran D.W. Griffith pour certaines scènes d'extérieur, avant de fixer son choix sur Victor Fleming, auquel il adjoignit Sam Wood au milieu du tournage. Mœurs de routine à une époque où il n'était pas rare qu'un film soit retiré à son réalisateur parce que les rushes du jour avaient déplu. Le tournage reprenait parfois dès le lendemain avec un remplaçant convoqué la veille au soir et qui avait la nuit pour lire le script.

Ajoutons que le metteur en scène n'était généralement pas autorisé à superviser le montage du film et que sa place au générique était des plus modeste.

Victor Fleming a repris le film et tourne les grandes scènes de la débâcle du Sud : Clark Gable se sent à nouveau dans son élément.

Sur sa demande, le producteur se tourna vers un véritable écrivain, réputé pour sa prodigieuse rapidité : Ben Hecht, qu'ils enlevèrent littéralement pour le convaincre de réécrire la moitié du film en une semaine. Pas plus que Fleming, ce dernier n'avait lu *Autant en emporte le vent.* La légende prétend – mais à Hollywood *tout* était possible – qu'ils s'enfermèrent à trois dans un bureau, l'un réécrivant les scènes que les deux autres jouaient sur-le-champ.

Victor Fleming reprend le film et Clark Gable exulte

Quoi qu'il en soit, les prises de vues recommencèrent après trois semaines d'interruption. Maintenant Clark Gable se sentait dans son élément, dirigé par un robuste compagnon avec qui il avait fait la tournée des bordels de Santa Monica. Depuis le début, l'acteur n'était pas à son aise dans un rôle dont il n'est pas exagéré de dire qu'il l'endossa à son corps défendant. Pour la première fois, on lui demandait d'assumer un personnage complexe de séducteur séduit et de macho vaincu par une femme-enfant. Curieusement, Victor Fleming – lui-même plutôt porté vers les grandes scènes d'action pure – en obtint le maximum. Au prix d'une patience extrême, il est vrai, le faisant répéter des heures durant et lui expliquant sans relâche les nuances du personnage. Jamais Clark Gable ne fut meilleur que dans le rôle de Rhett Butler.

Avec Fleming à la barre, il était donc rassuré : le film serait un mélodrame flamboyant, et il redevenait le numéro un du couple vedette. Et le "King", qui aimait les plaisanteries, hurlait de rire en voyant le costumier rapprocher les seins de Vivien Leigh avec une bande adhésive : la malheureuse ne possédant pas les avantages exubérants des vedettes hollywoodiennes de l'époque, Fleming tentait par tous les moyens de lui apporter une touche plus "sexy". Et tandis que le réalisateur exaspérait sa vedette féminine, Clark Gable jouait à la bataille navale dans un coin du studio qu'il quittait à dix-huit heures précises pour rejoindre Carole Lombard, avec qui il filait alors le parfait amour. Son cachet était de deux cent quatre-vingt-six mille dollars. Il avait tout pour être heureux. Mais, sans le savoir, il dansait sur un volcan.

Imposé par des rôles d'aventurier dur et cynique, il fera pourtant merveille dans cet emploi nuancé de macho conquis par une femme-enfant.

Si Victor Fleming n'a jamais été considéré comme un véritable auteur, il le doit peut-être en partie à lui-même. Révélé par *La Belle de Saigon (Red Dust)*, puis *Pilote d'essai*, qui lance Clark Gable en vedette, cet homme robuste au physique d'aventurier tenait à son image de dur à cuire, spécialiste du film d'action. Ce qui l'amenait à renchérir dans la simplicité musclée. L'histoire prétend que, félicité à la sortie du film pour avoir restitué toutes les nuances du roman, il aurait répondu : "Le livre ? Je ne l'ai jamais lu. Je tourne un scénario."

Victor Fleming craque à son tour

Il n'est jamais facile de succéder à un confrère congédié. Surtout lorsqu'il s'agit de George Cukor. Victor Fleming s'impose très vite à tous comme un excellent professionnel... et un déplorable psychologue. À l'exception de Clark Gable, les sentiments des acteurs et techniciens vont de l'indifférence polie à la haine pure et simple. Et, lorsque Selznick, de son côté, limoge le chef opérateur Lee Garmes, l'ambiance vire carrément au sinistre. Harassée par un tournage épuisant – elle figure dans la quasi-totalité des scènes –, harcelée par Fleming qui se montre de plus en plus brutal et grossier, Vivien Leigh ne tient que par un miracle de volonté. Les altercations se multiplient. Curieusement, c'est le chêne qui va plier : Fleming quitte le tournage en annonçant qu'il va se jeter du haut de la falaise. En fait, il rentre chez lui pour s'enivrer et ne reparaît au studio que trois jours plus tard sur l'intervention de David O. Selznick. Cette fois, ce dernier est amené, autant par désir personnel que sous la pression des événements, à assumer la totale responsabilité du film.

Chaque jour, ou presque, le producteur est sur le plateau, veille à tout, bombarde l'équipe de dizaines de mémos et parfois

Victor Fleming... en famille : rôle inhabituel pour ce baroudeur, ancien pilote et chasseur de grands fauves.

prend carrément la direction d'une scène tandis que le réalisateur se retire, ulcéré, à l'arrière-plan. La nuit, il réécrit le scénario par bribes ou travaille au montage. On reste stupéfait devant une telle performance physique et intellectuelle : c'est que Selznick est maintenant convaincu qu'il tient là son œuvre maîtresse. Pour la postérité, il sacrifie son présent, son ménage et sa santé. Seules des doses de plus en plus importantes d'amphétamines l'empêchent de s'effondrer. Même un caractère aussi trempé que le sien ne peut résister à de telles exigences : il endure de terribles dépressions qui lui font douter de tout. Le 14 avril, il écrit à Irène, qui est restée à New York : "Je voudrais tant pouvoir être avec toi, loin des problèmes d'argent, de la frénésie du travail, des folles ambitions... Je n'ai plus envie d'être millionnaire ni d'être le plus grand producteur du monde. Je voudrais... ah ! bon Dieu, je ne sais même pas ce que je voudrais."

Selznick sacrifie tout au film

Dans le même temps, Vivien Leigh ressent douloureusement sa séparation d'avec Laurence Olivier qui tourne *Les Hauts de Hurlevent*. Et puis, elle est anglaise, et la guerre qui approche la concerne au plus vif.

Fleming, enfin, donne à nouveau des signes de défaillance. Selznick comprend que celui-ci est au bout de son équilibre physique et nerveux. Voulant éviter à tout prix une nouvelle interruption du tournage – dont les conséquences psychologiques et financières seraient considérables –, il propose d'associer immédiatement un nouveau réalisateur. Il envisage les noms de Robert Z. Leonard, William Wellman, puis fixe définitivement son choix sur Sam Wood, un vétéran qui a plus de cinquante titres à son actif. Le 26 avril, Fleming déserte à nouveau le studio. Le réalisateur des *Révoltés du Bounty* le remplace pendant son absence. Après son retour, ce dernier continuera à le seconder en dirigeant certaines scènes. Le film avance.

Les semaines qui vont suivre seront des moments d'enfer. Selznick qui, maintenant, assume l'intégralité des problèmes doit se battre sur plusieurs fronts : les caisses sont vides, les dépassements s'annoncent énormes et il lui faut accélérer le tournage sans rien perdre sur la qualité. Pendant que Sam Wood constitue des équipes secondaires qui tournent la nuit et le dimanche, son producteur cherche des financements complémentaires. La Bank of America lui prête 600 000 dollars et ses associés avancent les 400 000 qui manquent encore. Dans le même temps, cet esprit méticuleux et suprêmement organisé se préoccupe déjà des problèmes de sortie et de publicité. Il pense qu'il est temps d'inverser le processus et qu'après avoir "lâché les écluses" il convient maintenant de créer un certain secret, gage d'intérêt pour le public. Dans une note, il ajoute plaisamment qu'il s'est réveillé au milieu de la nuit avec la tentation de mettre le feu à toutes les photos du film afin qu'on ne les voie nulle part. Mais n'est-ce qu'une boutade ? Car le plus dur combat qu'ait à mener David O. Selznick est peut-être contre lui-même.

De plus en plus grandiose

Depuis quelque temps il subit ce qu'on pourrait appeler l'ivresse du chef-d'œuvre ou la mégalomanie du succès. L'exemple le plus célèbre est celui de D.W. Griffith qui, porté par l'immense réussite de *La Naissance d'une nation*, entreprit alors un tournage démentiel qui coûta des fortunes et s'effondra en exploitation. Ce réalisateur devait passer le reste de sa vie à payer les dettes d'*Intolérance*. Obsédé par l'idée de gigantisme, porté par la vision des premiers rushes qui sont superbes, Selznick, de son côté, rêve à des séquences prestigieuses : par exemple, à la reconstitution de la bataille de Gettysburg. Celle-ci ne sera pas tournée, mais de cette volonté de faire toujours plus grandiose naîtra l'admirable scène des blessés d'Atlanta. Filmée en plan moyen, Scarlett y traverse une immense place jonchée de soldats allongés, tandis que la caméra s'élève, découvrant deux mille cinq cents figurants – en fait, pour moitié des mannequins.

Les caisses se vident

Les angoisses du "casting"

Il n'y eut pas que le couple vedette pour poser des problèmes !...

Le 26 novembre 1937, David O. Selznick demandait à George Cukor d'établir la distribution suivante : Lionel Barrymore (Dr Meade), Billie Burke (Tante Pittypat), Gladys George (Belle Watling), Janet Beecher (Mme Meade), Judy Garland (Carreen) et Shepherd Strudwick (Ashley). Aucun d'eux ne figura à l'arrivée et leurs rôles furent respectivement tenus par Harry Davenport, Laura Hope Crews, Ona Munson, Leona Roberts, Ann Rutherford, et... Leslie Howard.

Pour réaliser cette seule prise, il fallut construire une grue spéciale, aucun matériel de l'époque ne permettant un mouvement d'une telle ampleur.

Rhett Butler porte le smoking avec la même aisance que la tenue de cavalier.

Enfin, comme la fin du tournage approche, Selznick est de plus en plus préoccupé par la conclusion du film. Le dernier chapitre du livre ménage une savante ambiguïté : Butler s'en va sur sa célèbre réplique et Scarlett envisage à la fois son retour à Tara et la reconquête de son amour. Les dernières phrases du film précisent : "Elle ramènerait Rhett à elle. Elle savait qu'elle y parviendrait. Nul homme ne lui avait jamais résisté." Le producteur pense à juste raison qu'un happy end est évidemment exclu (certains auraient, bien entendu, volontiers accepté que Butler hésite et qu'ils se jettent dans les bras l'un de l'autre).

Les costumes de Clark Gable

Tout au long du film, Rhett Butler arbore une série de tenues tout simplement fastueuses. À bien y regarder, il affiche une telle variété dans ses choix qu'il est, plus encore que Scarlett O'Hara, le véritable arbitre des élégances. En l'espèce, David O. Selznick démontre, dans un domaine aussi technique qu'apparemment accessoire, l'étendue de ses dons d'observation. Voici quelques extraits d'une note adressée par lui au costumier Walter Plunkett :

"... Il n'y a aucune raison pour qu'ils lui aillent si mal, qu'ils ▸

godillent autour du cou... Je n'ai pas cessé de demander que tous les vêtements soient suffisamment vieillis et usés pour donner l'impression qu'ils ont été portés... Comme il doit se pencher souvent, étant donné la différence de taille entre Mlle Leigh et lui, on aurait pu se demander comment ses vêtements suivraient ses gestes au lieu de considérer comme allant de soi qu'il resterait raide comme un balai dans toutes les scènes... Ses cols ne devraient pas non plus être serrés au point de lui donner l'air d'être trop gros..."

Il y en a, comme ça, deux bonnes pages. Sans commentaire !

À ceux-là, qu'il diagnostique plaisamment comme "atteints d'hollywoodité", David O. Selznick oppose que Scarlett en a trop fait voir au malheureux pour que celui-ci revienne sur ses pas. Et il va encore plus loin en proposant que l'avenir de l'héroïne soit clairement évoqué comme celui d'une femme solitaire attachée à sa terre natale. Il aura gain de cause. Le film en acquerra une force supplémentaire.

Mais la fin, décidément, pose de multiples problèmes, et le futile se mêle à l'essentiel. À la question angoissée de Scarlett : "Mais que vais-je devenir ?", Rhett répond cyniquement : "Franchement, ma chère, je m'en fiche comme d'une guigne." Et ce qui peut paraître incroyable au spectateur actuel se produit : la précensure, par la voix de Joseph I. Breen, assistant de Will H. Hays sur la côte Ouest, interdit cette réplique.

Rhett Butler "s'en fiche comme d'une guigne"

Dernière étreinte,
les amants vont
se séparer...

Selznick tournera cependant deux versions dont l'une avec un prudent "Cela m'est absolument égal". Des mois plus tard, en octobre 1939, il se lancera dans la bataille pour obtenir gain de cause, demandera une réunion extraordinaire du comité de censure *sur cette seule phrase*, écrira personnellement une longue lettre à Hays en se référant à l'*Oxford English Dictionary* pour soutenir que l'expression n'est pas obscène et tout juste vulgaire. Finalement la fameuse réplique sera conservée sous sa forme la plus vive et fera désormais partie des mots célèbres de l'histoire du cinéma.

Le 27 juin 1939, le producteur dicte cette note laconique et quasi napoléonienne : "Faites retentir la sirène. Scarlett O'Hara en a fini aujourd'hui à midi. Gable termine ce soir ou demain matin et nous tournerons jusqu'à vendredi avec les petits rôles et les figurants. Je m'en vais vendredi soir et vous pouvez tous aller au diable."

Tandis que les principaux protagonistes s'égaillent (Clark Gable, qui a épousé Carole Lombard au cours du tournage, savoure sa lune de miel, et Vivien Leigh a rejoint Laurence Olivier),

L'ultime dialogue

Scarlett : Mais que vais-je devenir ?

Rhett : Ma chère, je m'en fiche comme d'une guigne.

Scarlett (restée seule, voix off) : ... Ça ira mieux demain... Je ne veux pas y penser maintenant... Ô mon Dieu, retourner à Tara... Je ne peux pas le laisser partir... Il doit y avoir un moyen de le retenir.

Le récitant : ... Elle désirait panser ses blessures... Un refuge pour y dresser ses plans de campagne... Elle voyait la beauté crue de la terre rouge... Elle ramènerait Rhett à elle... Elle savait qu'elle y parviendrait... Nul homme ne lui avait jamais résisté.

Selznick reste sur le pont. Le tournage est terminé; le film ne l'est pas pour autant et il s'agit maintenant de gérer au mieux un gigantesque investissement de quatre millions de dollars. Dès les premiers jours de mai, dans ses correspondances avec la Metro Goldwyn Mayer, il suppute déjà les recettes à venir, faisant ainsi avaler l'amère pilule d'un dépassement qui hisse ce film sur des sommets budgétaires jamais atteints – à l'exception peut-être, précise-t-il, du *Ben Hur* muet de 1926.

Une folie hollywoodienne

Selznick, bien entendu, bluffe et prédit dix millions de dollars de recettes... et peut-être treize ou quatorze... en précisant que "tout cela a l'air d'une folie hollywoodienne". On le sait, la réalité dépassera la fiction : en 1971, *Autant en emporte le vent* aura rapporté *plus de cent millions* de dollars. Mais pour l'instant, celui qui ignore encore être l'heureux producteur d'un phénomène sans précédent se bat avec des problèmes de longueur, de générique, de musique et de publicité.

Et d'abord il s'attaque lui-même au montage de ce film mammouth : soixante-quinze mille mètres de pellicule sont à assembler. Le 7 janvier déjà, il avait indiqué à George Cukor qu'il convenait de procéder à de vastes coupes dans toute la première partie, sur des scènes d'exposition "qui ne font pas progresser l'histoire d'un iota". Mais Selznick possède, par ailleurs, une extraordinaire sensibilité en devinant ce qui motive le public et, en définitive, aucune de ces superbes scènes ne fut altérée. Tandis qu'il monte à une cadence infernale, assisté par Hal Kern et James Newcom, il travaille toujours sur l'idée d'un film de trois à quatre heures. Une première ébauche de cinq heures est visionnée par les acteurs et techniciens. Puis il se remet au travail, tranche et rogne pour obtenir fin août un montage plus resserré : celui-ci dure "encore" quatre heures et dix-sept minutes qui seront finalement ramenées à trois heures quarante. Le producteur pense à juste titre que seule une telle durée convient à un aussi vaste sujet, estimant que le public préférera un

Scarlett à Atlanta alors que les habitants fuient devant l'inexorable avance des troupes nordistes.

seul beau film à deux médiocres. Telle sera la version définitive.

Cependant la première du film a été fixée au 15 décembre à Atlanta et Selznick doit négocier la dernière ligne droite : maintenir l'intérêt du public pour un produit dont on parle depuis *plus de trois ans* ! Il précise que, contrairement à l'usage, aucun acteur – fût-il Clark Gable – ne devra précéder le titre et que les quatre principaux protagonistes seront regroupés en caractères deux fois plus petits. Dans le même temps, il doit résoudre

La première version de l'affiche, déjà romantique mais dans le goût de l'époque, moins sensuelle et flamboyante que celle qui fit ensuite le tour du monde.

les difficultés de générique : il y a tant de cadavres dans son placard ! Les scénaristes congédiés en cours de route sont légion et trois réalisateurs se sont succédé. Pour ces derniers, un seul nom figurera au générique. Si l'on en croit une correspondance de Selznick, Victor Fleming – dont la générosité n'était pas le point fort – avait repoussé avec indignation l'idée que Cukor et Wood pussent être cités.

Rhett Butler ouvre le bal

Enfin, il règle avec la Metro Goldwyn Mayer les problèmes délicats du prix des places, du nombre de séances, de l'entracte, et surtout insiste pour que le film soit *immédiatement* diffusé partout en province au prix fort – subtile prémonition. Il organise deux avant-premières : les réactions sont enthousiastes. Désormais tout est prêt pour *l'événement.*

Depuis trois jours Atlanta vit dans la fièvre et Howard Dietz, directeur des services de publicité, est harcelé par les demandes de billets. Le gouverneur de Georgie, pour ne prendre que cet exemple[1], n'a-t-il pas invité ses collègues du Tennessee, d'Alabama, de Floride et de Caroline du Sud ! Tandis que s'improvisent des défilés en costumes d'époque, les vedettes débarquent à l'aéroport.

Vivien Leigh est au bras de Laurence Olivier. Ceux que l'on appellera bientôt "les amants les plus célèbres d'Amérique" affichent de plus en plus leur liaison. Selznick en est tout chagrin et tente de justifier la présence du beau Larry par le tournage proche de *Rebecca.* Mais qui se soucie des convenances dans une ambiance de liesse où la fanfare locale joue *Dixie* sans discontinuer ?

Lorsque Clark Gable, accompagné bien entendu de Carole Lombard, arrive à son tour, tout le monde ignore qu'un petit drame s'est joué en coulisse. Laissons la parole au producteur : "Clark est un très gentil garçon mais très soupçonneux et, tout d'un coup, il se met dans la tête que les gens abusent de lui." (Mémo à Katharine Brown, 17 novembre 1939.) En fait, le séducteur numéro un de l'écran est d'une timidité maladive au milieu des foules et l'on a prévu qu'il ouvrirait le bal de bienfaisance. On finit par le convaincre et l'acteur fait alors son métier à la perfection en faisant valser la fille du maire au milieu de femmes en crinoline et d'hommes revêtus du célèbre uniforme gris des troupes confédérées. Par la magie d'un film et le temps d'une fête, le Sud est vainqueur.

Et c'est l'ovation

Le lendemain, c'est la gorge serrée que les privilégiés qui ont pu obtenir une place assistent à la projection. Laquelle est entrecoupée d'applaudissements et de clameurs à chaque évocation de moments douloureux ou nostalgiques. Une ovation triomphale accueille la fin du film. Lorsque les lumières se rallument, une petite femme émue aux larmes monte sur scène. Elle est en définitive la responsable de l'événement. En quelques phrases, Margaret Mitchell rend hommage à tous, "en son nom et au nom de sa pauvre Scarlett".

Carole Lombard, compagne de Clark Gable, l'épousa pendant le tournage. Elle mourut tragiquement trois ans plus tard.

LE PLUS GRAND SUCCES DE TOUS LES TEMPS

En 1861 : sur la terrasse de la magnifique propriété des O'Hara, Scarlett apprend qu'Ashley Wilkes aime Mélanie Hamilton. Transpercée par le dépit, elle court au-devant de son père. Gerald O'Hara lui parle du domaine qu'un jour il lui léguera. Côte à côte, ils contemplent la maison familiale.

Le lendemain est jour de grande réception. Scarlett revêt sa plus belle robe, va rejoindre la foule des invités et rencontre Ashley, puis Mélanie. Soudain, elle aperçoit au bas de l'escalier un étranger qui lui sourit : c'est Rhett Butler dont on lui dit aussitôt qu'il a mauvaise réputation et qu'il fut renvoyé de West Point.

Au salon, les hommes évoquent le conflit proche et traitent les Yankees par le mépris. Seul Rhett demeure sceptique, soulignant la force des armées du Nord, et conclut : "S'il faut se battre, je serai à vos côtés, mais les guerres causent bien des malheurs." Ses déclarations scandalisent tous les hommes présents.

Dans un salon voisin, Scarlett rencontre Ashley et lui crie son amour. Celui-ci avoue qu'il partage les mêmes sentiments mais ne trahira pas la parole donnée à Mélanie. Rhett Butler, allongé sur un divan, a assisté à toute la scène. Elle lui lance : "Vous n'êtes pas un gentleman", à quoi il répond : "Et vous pas

Le premier mariage de Scarlett avec Charles Hamilton : bientôt celui-ci mourra ainsi que les parents de la jeune femme.

une lady." Une immense agitation interrompt leur dialogue : la guerre est déclarée. De la fenêtre, Scarlett voit Ashley embrasser Mélanie et, lorsque Charles Hamilton lui avoue son amour, elle accepte immédiatement de l'épouser.

Mais, peu après, le capitaine Hamilton meurt d'une pneumonie; Scarlett est veuve.

À Atlanta, un grand bal est donné. Rhett Butler achète – fort cher – le droit de danser avec Mme Charles Hamilton. Bravant le scandale, celle-ci se lance sur la piste, toute de noir vêtue, au bras du cynique et séduisant aventurier.

Cependant, la guerre fait rage. La terrible bataille de Gettysburg a fait de nombreuses victimes. Le front se rapproche d'Atlanta où s'entassent par milliers les blessés et les morts. Mélanie accouche au milieu des bombardements : grâce à Butler, les deux femmes et le bébé réussissent à traverser la ville en flammes.

La vie reprendra à Tara, au milieu d'énormes difficultés.

Tandis que l'horizon s'embrase, Scarlett et Rhett sont face à face. Cédant enfin à leur inclination réciproque, ils échangent leur premier baiser. Mais la jeune femme se ressaisit et gifle Butler, qui s'éloigne. Elle rejoint alors la propriété, pillée par les soldats yankees, et prend en main la destinée de sa famille. Seule devant sa terre, elle prête serment : "Dieu m'est témoin : je ne me laisserai pas faire. Je m'en sortirai. Je n'aurai plus jamais faim... Il me faudra mentir, voler ou tuer, mais je m'en sortirai..." Elle l'ignore encore, mais il lui faudra, en effet, mentir, voler... et même tuer.

Mentir, voler ou tuer, je m'en sortirai

"Le Nord déferle sur le Sud, laissant un immense champ de ruines d'Atlanta à la mer." À Tara, les trois sœurs travaillent jusqu'aux limites de leurs forces sous la conduite de Scarlett. Enfin, la guerre se termine par la reddition du Sud. Ashley revient de captivité. La vie reprend avec son cortège d'énormes difficultés : les propriétaires sont accablés d'impôts et

certains en profitent pour racheter les terres à bas prix.

Gerald O'Hara fait une chute de cheval mortelle : désormais sa fille est seule. Elle se rend à Atlanta pour chercher de l'aide et s'offre à Rhett, qui refuse. Désespérée, elle épouse Franck Kennedy et devient une redoutable femme d'affaires. Lorsque son second mari est tué à son tour, Butler la demande en mariage. Elle accepte et, bientôt, met au monde la petite Bonnie dont il devient immédiatement fou. Puis, persuadé que son épouse ne l'aime pas, il lui propose le divorce à condition de conserver la garde de la fillette qu'il emmène en Europe.

Le scandale d'un bal auquel participe une trop jeune et trop jolie veuve mais le cynique Rhett Butler n'a pas désarmé.

À son retour, Scarlett lui annonce qu'elle est enceinte, tombe dans l'escalier et perd l'enfant. Bonnie se tue en tombant de cheval, comme son grand-père. Rhett s'enferme dans son chagrin et, malgré les supplications de Scarlett, part. La jeune femme reste seule dans son immense maison. Tandis que retentit la voix de son père lui rappelant que sa destinée est de conserver leur terre, elle

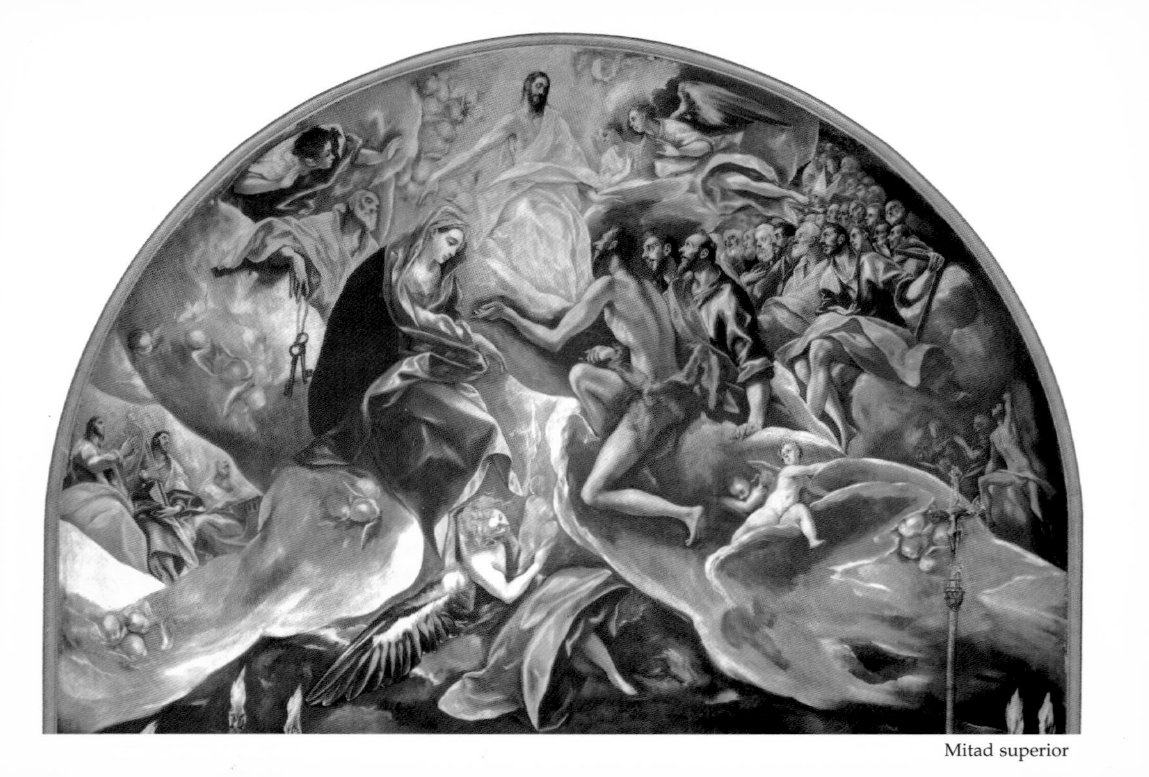

Mitad superior

Ref: 1014

Iglesia de Santo Tomé. Toledo. España.– EL GRECO. *El Entierro del Señor de Orgaz* (1586-1588)

Foto: Joseph S. Martin

prend l'ultime décision : "J'irai à Tara, j'irai chez moi, demain est un autre jour."

Ainsi le film se clôt sur la silhouette de Scarlett O'Hara, face au domaine familial surplombé par un arbre immense; image qui répète l'un des premiers plans du film, image symbole d'une œuvre qui célèbre avec éclat l'amour du sol natal et reste très proche du roman, ainsi que l'avait souhaité David O. Selznick pour qui les innombrables lecteurs devaient en retrouver à l'écran l'écho fidèle.

Moins d'épisodes choquants

Aucune des grandes péripéties n'a donc été coupée. Bien entendu, pour demeurer dans les limites du possible, les adaptateurs ont éliminé beaucoup de petites scènes et de détails ainsi qu'un certain nombre de personnages annexes. De même les caractères sont-ils moins complexes, principalement en raison de l'absence de références au passé. Pour ne prendre que ce seul exemple, le père et la mère de Scarlett sont, dans le film, de pure convention : dans le livre ils étaient beaucoup plus "habités" (Gerald O'Hara a gagné Tara au poker, il boit en cachette de sa femme, laquelle est sentimentalement "morte" depuis qu'elle fut abandonnée par son cousin Philippe, etc.).

Les plus sensibles distorsions concernent l'aspect politique, racial ou moral. Selznick a fait couper toutes les allusions au Ku Klux Klan et ménagé la sensibilité du Nord, sur des détails – le soldat de Sherman devient un déserteur – comme sur l'essentiel. Ainsi en est-il de la

Le temps des malheurs

description des personnages noirs. Là où Margaret Mitchell écrit : “C’était une vieille femme obèse aux petits yeux rusés pareils à ceux d’un éléphant... Elle avait les lèvres fortes et pendantes; de pur type africain, elle était d’un noir luisant”, le film propose une Mama Jincy dans la tradition des nourrices dévouées et sympathiques. Si les Noirs sont réduits à des silhouettes furtives, du moins affichent-ils une présence plus humaine que les sèches définitions de l’ouvrage : “Elle était aussi fourbe que stupide” (Prissy); “Un sacré domestique, le meilleur du littoral” (Pork)...

Enfin les scénaristes ont quelque peu gommé les épisodes sexuels ou choquants bien que le roman soit sur ce plan d’une prudence... d’époque. Scarlett y perd l’enfant de son premier mariage, et ses nuits d’amour avec Rhett ne sont que suggérées.

L’essentiel subsiste : de grands moments spectaculaires. La réception des derniers jours de paix, le bal, l’hôpital et les blessés dans les rues, l’incendie d’Atlanta ponctuent cet immense feuilleton sentimental. Des images qui ne manquent pas de grandeur frappent par leur lyrisme immédiat : le premier baiser de Scarlett et de Rhett sur un ciel qui rougeoie, ou Ellen O’Hara sur son lit de mort qu’une seule bougie éclaire dans les sombres perspectives d’une maison délabrée.

Et puis, surtout, deux formidables acteurs effectuent un duo sans faille. Vivien Leigh tour à tour coquette, rusée, ambitieuse, autoritaire, égoïste, fait merveilleusement passer les moindres nuances d’un personnage habité par une double et douloureuse passion amoureuse. À ses côtés, ou plutôt face à elle, Clark Gable est stupéfiant d'aisance dans ce rôle de cynique qui "n'épouse pas". Leurs duos agressifs, leurs répliques cinglantes, cachant un amour qu'ils ne veulent avouer, sont d'une force constante.

Une fabuleuse carrière...

Plus encore que le spectacle et le souffle épique, la nostalgie est l'atout maître de Selznick; il a créé un couple de légende.

Et le public, immédiatement, suit et s'enthousiasme. Un an plus tard, vingt-cinq millions de spectateurs américains ont déjà vu un film qui ne cessera d'accumuler tous les records... dix oscars en 1940, encore vingt-quatre millions d'entrées en 1941 et dix millions en 1942, toujours pour les seuls États-Unis.

Sorti à Londres en pleine guerre, *Autant en emporte le vent* y tint l'affiche pendant quatre ans, et la petite histoire dit qu'Hitler réquisitionna une copie qu'il se fit projeter à plusieurs reprises dans son Nid d'aigle de Berchtesgaden.

Après la guerre, le film s'élança à la conquête des écrans du monde entier, fut doublé en cinq langues, et sous-titré en trente. Les spectateurs français durent l'attendre jusqu'en mai 1950; il resta trois ans et onze mois en exploitation. Il est impossible de calculer le nombre total des personnes qui l'ont vu; au reste, les Américains ne comptent qu'en recettes. En 1974, les bénéfices estimés s'élevaient à cent cinquante millions de dollars ! Malgré une dévaluation constante de la monnaie qui avantage les productions récentes, *Autant en emporte le vent* était encore troisième de la liste des plus grands succès de tous les temps... en 1973, précédé du *Parrain* (1972) et de *La Mélodie du bonheur* (1965). Il était, au demeurant, le seul film d'avant-guerre à figurer dans les trente meilleures recettes de l'histoire... trente-quatre ans après sa sortie !

Le grand exclu des oscars...

En 1940, *Autant en emporte le vent* remporta dix oscars :

- Meilleur film
- Meilleure interprétation féminine (Vivien Leigh)
- Meilleur second rôle féminin (Hattie McDaniel)
- Réalisateur (Victor Fleming)
- Scénario (Sidney Howard)
- Montage (Hal Kern)
- Photographie (Ernest Haller, Ray Rennahan)
- Directeur artistique (Lyle Wheeler)
- Effets spéciaux (Jack Cosgrove)
- Mention spéciale pour la couleur à William Cameron Menzies.

Le grand exclu... et le grand déçu de cette fantastique récolte fut le malheureux Clark Gable qui n'obtint pas "la meilleure interprétation masculine" à laquelle tout le monde s'attendait. Elle échut cette année-là à Robert Donat pour *Goodbye, Mr. Chips.*

Et encore ne s'agit-il que de ce qu'il a rapporté aux États-Unis ! En valeur absolue, il reste sans conteste l'œuvre la plus populaire jamais réalisée, le plus extraordinaire étant son exceptionnelle longévité : repris tous les cinq ou six ans, il rencontre chaque fois un nouveau public enthousiaste.

En 1968, pour sa sixième apparition, il fut restauré, agrandi et recadré image par image pour être proposé en 70 mm dans une nouvelle version présentée sur écran large. Une armée de techniciens avait lutté contre l'usure des négatifs et la dégradation des émulsions pour rehausser les teintes d'origine tandis que l'on transférait la bande-son sur six pistes stéréophoniques. Le cinéma restaurait sa "Joconde".

Vivien Leigh en compagnie de l'homme le plus élégant de la Virginie.

Mais si le temps semblait n'avoir aucune prise sur l'œuvre, il n'en était pas de même pour ses principaux créateurs.

Que sont-ils devenus ?

Auteur comblé d'un immense best-seller, Margaret Mitchell ne publia aucun autre ouvrage. Il est vrai que celui-là suffit à la rendre fort riche. Le 11 août 1949, un taxi la renversa et elle mourut cinq jours plus tard. C'était à Atlanta. Par une étrange coïncidence, Victor Fleming disparut la même année. Après *Autant en emporte le vent*, où il avait déjà cinquante-six ans, il tourna relativement peu : en 1941, une nouvelle version du *Docteur Jekyll et Mister Hyde*, et, en 1945, *L'Aventure.* Sa dernière œuvre fut *Jeanne d'Arc*, en 1948, avec Ingrid Bergman.

Curieusement, *Autant en emporte le vent* marque l'apogée de la carrière de Clark Gable. Il n'a pourtant alors que trente-sept ans, mais le destin va s'acharner sur celui à qui, jusque-là, tout avait réussi. C'est pendant le tournage du film, le 29 mars 1939, qu'il épouse Carole Lombard, sa compagne depuis plusieurs années. Mariage de stars, mais pourtant union modèle. L'homme le plus séduisant et l'actrice la mieux payée du cinéma forment un couple de légende. En janvier 1942, Carole Lombard meurt dans un accident d'avion. Fou de douleur, Clark Gable s'engage, la même année, comme simple soldat et déclare : “Je ne veux ni faire des discours, ni vendre des bons d'emprunt, ni distraire les soldats, je veux être envoyé là où on se bat.” Deux ans plus tard, le commandant Gable est décoré pour ses cinq missions de bombardement et démobilisé. Jamais sa popularité n'a été si grande.

La fin du King et de Vivien

Mais "le Roi" est un homme meurtri et diminué par les épreuves; il se met à boire beaucoup, multiplie les aventures sans lendemain et surtout accumule une série de films médiocres. Pour son... quatrième mariage, il épouse Sylvia Ashley, en 1949; il divorce deux ans plus tard. En 1954, son contrat avec la Metro expire : il ne sera pas renouvelé. Pourtant la star remonte la pente avec une série de succès : *Les Implacables* (1955) ou

Un couple de légende est créé qui fera frémir les publics du monde entier.

Clark Gable, trois ans avant sa mort (*L'Odyssée du sous-marin Nerka*, Robert Wise, 1958).

L'Odyssée du sous-marin Nerka (1958). En 1961, il tourne *Les Désaxés (The Misfits)* avec Marilyn Monroe et Montgomery Clift. Le vieux "Roi" s'y montre fabuleux dans le rôle d'un cow-boy vieillissant. Il meurt d'une crise cardiaque deux jours après la fin du tournage. Ce film marque aussi la dernière apparition de Marilyn. Deux des plus grands sex-symbols d'Hollywood vont ainsi disparaître. Clark Gable lui-même estima que *Les Désaxés* était son meilleur rôle depuis *Autant en emporte le vent*. Il n'avait pas tort.

En 1938, Clark Gable était la plus grande vedette masculine de son temps; Vivien Leigh par contre une quasi-inconnue à qui le film de Victor Fleming valut l'oscar et la gloire. Partagée entre le théâtre et sa vie avec Laurence Olivier – qu'elle épousa six mois après la première –, cette très fine actrice tourna relativement peu : huit films en vingt-cinq ans. Après *César et Cléopâtre* et *Anna Karénine* en 1948, elle obtint, en 1951, un second oscar pour *Un tramway nommé désir* qu'elle avait créé au théâtre, à Londres, deux ans auparavant, sous la direction... de Laurence Olivier. Aux côtés de Marlon Brando elle est, dans le film d'Elia Kazan, absolument prodigieuse. Ce sera sa dernière grande apparition. Depuis plusieurs années, elle est atteinte d'une grave affection pulmonaire. Elle interprète pourtant Shakespeare au théâtre, en compagnie de son cher Larry.

Dix années plus tard, dans un rôle également romantique : celui d'*Anna Karénine.*

Qui est le véritable auteur d'*Autant en emporte le vent* ?

Victor Fleming assura la plus grande partie du tournage et l'œuvre reflète incontestablement son savoir-faire : science du cadrage, des vastes mouvements d'appareil, de la direction des "grands ensembles". Mais il prit en marche un film qui fut longuement préparé par George Cukor, à qui l'on doit sans doute beaucoup des petites subtilités d'un scénario foisonnant et surtout l'extraordinaire portrait de Scarlett O'Hara. On se souvient que, même après son limogeage, ce réalisateur continua d'inspirer en secret l'interprète principale.
Selznick lui rendit un hommage particulier lorsqu'il souligna que "toutes les séquences qu'il a tournées figurent dans le film". Quant à Sam Wood – le plus obscur des trois –, il vint principalement en renfort de Fleming sur la fin du tournage et, en vieux routier qu'il était, prit avec beaucoup de philosophie de n'être point cité. Un autre homme encore peut être considéré comme l'un des pères spirituels du film : Bill Menzies, le décorateur, qui le dessina plan à plan et à qui l'on doit sans conteste l'harmonie plastique de l'œuvre.
En fait, il faut aller "au-delà" – ou en deçà – du réalisateur et constater qu'*Autant en emporte le vent* est avant tout un film de scénaristes. Alors Sidney Howard, Ben Hecht, Olivier Garrett, Jo Swerling et... Cukor, encore ?
Mais surtout le film aux dix oscars revient sans nul doute à celui qui réunit tous ces talents et obtint le meilleur de chacun : David O. Selznick, producteur.

Mais la vie en commun devient de plus en plus insupportable à ceux qui symbolisèrent le couple idéal. Brouilles et réconciliations se succèdent.

En 1960, ils se séparent officiellement. Depuis de trop nombreuses années Vivien Leigh, qui boit trop, est sujette à de véritables crises de démence, et son compagnon n'éprouve plus pour elle qu'une grande affection doublée d'une immense pitié. Laurence Olivier demande le divorce qui est prononcé en faveur de son épouse. Cette dernière continue cependant à suivre la carrière de "dear Larry" et même à le suivre tout court.

En mars 1961, elle se rend à Atlanta pour la présentation de la nouvelle version en Cinémascope d'*Autant en emporte le vent...* et s'arrange pour rencontrer son ex-mari au restaurant. Celui-ci est en compagnie de Joan Plowright qu'il va épouser peu après. Le cœur brisé, Vivien se rend au gala. Les fauteuils de Margaret Mitchell et de Victor Fleming, déjà, sont vides. Six ans plus tard, le 7 juillet 1967, elle succombe à la tuberculose qui la ronge depuis longtemps.

David O. Selznick l'avait précédée de peu. Cet homme à femmes fut partiellement détruit par l'une de ses conquêtes. Divorcé d'Irène Mayer, il rencontra une jeune actrice, Phillys Isley, la rebaptisa Jennifer Jones et

Vivien Leigh, quelques années plus tard, n'a rien perdu de son rayonnement (portrait).

Vivien Leigh dans *Un tramway nommé Désir* (1951) avec Marlon Brando.

l'épousa. Si, jusqu'alors, ses nombreuses aventures avec les débutantes avaient eu beaucoup moins d'importance que son travail, l'influence de Jennifer fut des plus fâcheuse. Et s'il continua à produire jusqu'en 1957, ce fut avec moins de bonheur. Son dernier film, au titre prémonitoire, *L'Adieu aux armes*, fut un échec. Ainsi se termina la carrière de l'homme qui entra dans la légende pour avoir créé *Autant en emporte le vent*.

Une question se pose au spectateur contemporain habitué à ce que chaque succès engendre des numéros deux, trois, quatre...

Pourquoi l'habituel système du remake ou de la suite – ce que l'on appelle aux États-Unis "sequels" – n'a-t-il pas joué pour un produit aussi prometteur ? On s'en souvient : lorsque les négociations furent rompues avec Bette Davis, la Warner mit en chantier et sortit en un temps record un sujet identique.

Un film unique

Tourné en huit semaines, *L'Insoumise* évoquait, sur fond de guerre de Sécession, le destin d'une jeune femme qui ressemblait

Conduisait-elle O. Selznick à sa perte ? Jennifer Jones avec Robert Walker dans *Depuis ton départ* (1944).

furieusement à Scarlett O'Hara. Et les similitudes étaient telles que Selznick envoya une lettre vengeresse à Jack Warner dans laquelle il insinuait perfidement "qu'il serait vraiment dommage qu'un film aussi remarquable et coûteux que *L'Insoumise* puisse être éreinté et considéré comme une imitation par les millions de lecteurs et de fanatiques d'*Autant en emporte le vent*". Bien entendu, rien n'y fit, *L'Insoumise* sortit et connut un certain succès.

Selznick contre Warner...

Beau joueur, Selznick s'inclina devant ce joli coup, se promettant de le rééditer à son propre usage. Ce qu'il envisagea dès la sortie de son film. En février 1940, il conçoit donc une suite à son propre film. En octobre, il la date même pour la fin de l'année, toujours avec Vivien Leigh. L'idée d'une seconde partie apparaît vite impossible. Qu'à cela ne tienne ! Un an plus tard, le producteur propose... *La Fille de Scarlett O'Hara*, encore avec Vivien, dans le rôle... de la fille. Et comme cet homme n'est pas à court d'idées, après avoir souligné qu'il était bien dommage d'avoir fait mourir Bonnie Blue, il suggère, au choix, le retour de Rhett ou un quatrième mariage ! Sollicitée pour écrire l'histoire, Margaret Mitchell refuse. Le projet en reste là.

L'idée sera reprise par quelqu'un d'autre en 1988 : Alexandra Ripley écrira une suite à “Autant en emporte le vent”. Il aura suffi d'attendre presque un demi-siècle pour que le projet de Selznick s'accomplisse.

Bien entendu, certains se risquèrent à copier l'inestimable modèle. Ainsi la Warner – encore elle ! – produit en 1957 *L'Esclave libre...* avec Clark Gable. Ce dernier y interprète un ancien marchand d'esclaves qui, dirigeant une plantation, s'éprend d'une mulâtresse (Yvonne de Carlo). Sur ce, la guerre civile éclate... La ficelle était trop grosse, la ressemblance trop frappante, et le pauvre "Roi" bien trop fatigué. Le film fut mal accueilli et les producteurs n'insistèrent point. Le prestigieux modèle continuait sa carrière avec un tel entrain qu'il apparaissait bien vain de s'essouffler derrière lui.

Le prototype du grand spectacle

S'il ne connut aucune suite et découragea la copie, *Autant en emporte le vent* ouvrit par contre la voie aux superproductions, grandes sagas et films-fleuves. Il avait prouvé que des

Nostalgique retour en arrière : Scarlett adolescente consolée par le docteur Deade (Harry Davenport) et la tante Pittypat (Laura Hope Crews).

investissements gigantesques pouvaient se rentabiliser et que des durées anormalement longues n'étaient pas un obstacle infranchissable. Hollywood se fit une spécialité de ces superspectacles : *Les Dix Commandements*, *Ben Hur*, *Le Parrain*, *Docteur Jivago* figurèrent parmi les grosses recettes de l'histoire. Plus près de nous, *La Guerre des étoiles*, *E.T.* ou *Les Aventuriers de l'arche perdue* reprirent le flambeau des œuvres qui vont plus loin, frappent plus fort et proposent des récits de plus en plus spectaculaires. Mais ces succès sont aussi brefs que démesurés et ces modernes champions du box-office sont vite détrônés. Aucun d'eux n'aura connu une longévité comparable à celle d'*Autant en emporte le vent.*

Autant en emporte le vent précédait encore, en 1973, des films sortis trente ans après lui.

(Source : *Variety* 1973)

1. *Le Parrain* (1972)
2. *La Mélodie du bonheur* (1965)
3. *Autant en emporte le vent* (1939)
4. *Love Story* (1970)
5. *Le Lauréat* (1968)
6. *Docteur Jivago* (1965)
7. *Airport* (1970)
8. *Les Dix Commandements* (1956)
9. *Ben Hur* (1959)
10. *Mary Poppins* (1964).

Comme on le constate, le classement étant établi en recettes nettes d'époque, la correction de dévaluation du dollar – ou, si l'on préfère, l'augmentation du prix des places – le replacerait très nettement en tête.

Et les critiques ont beau souligner, à chaque nouvelle présentation, le caractère mélodramatique et la forme désuète de celui-ci, les spectateurs continuent de frémir aux malheurs de la jeune femme aux yeux verts, éternellement amoureuse d'un cavalier qui s'éloigne après avoir lancé un ultime défi.

Le mot de la fin...

Ainsi ce film reste-t-il unique. David O. Selznick l'avait écrit en 1941 : "Il devrait se passer des années et des années avant que quelqu'un pense à faire un remake d'*Autant en emporte le vent*. Imaginez par exemple quelqu'un se lançant dans un remake de *La Naissance d'une nation* !" Mais, le naturel reprenant vite le dessus, ce diable d'homme ajoutait aussitôt : "Bien que, réflexion faite, ça ne soit pas une si mauvaise idée."

Cette image n'a jamais vieilli dans la mémoire des spectateurs qui ont fait *d'Autant en emporte le vent* le plus grand succès de toute l'histoire du cinéma.

Générique

UNE PRODUCTION
DAVID O. SELZNICK
AUTANT
EN EMPORTE LE VENT
d'après le roman de
MARGARET MITCHELL
CLARK GABLE
VIVIEN LEIGH
10 OSCARS
LESLIE HOWARD · OLIVIA de HAVILLAND
UN FILM SELZNICK INTERNATIONAL · RÉALISATION DE VICTOR FLEMING SCÉNARIO DE SIDNEY HOWARD · MUSIQUE DE MAX STEINER
MGM
SON STÉRÉOPHONIQUE
TECHNICOLOR
70 mm